文史哲學術叢刊

詹瑋著

吳稚暉與國語運動

文史哲出版社印行

國立中央圖書館出版品預行編目資料

吳稚暉與國語運動 / 詹瑋著. -- 初版. -- 臺北市：文史哲，民８１
面；　公分. --（文史哲學術叢刊；6）
參考書目：　面
ISBN 957-547-119-9（平裝）

１．吳稚暉 - 傳記　２．中國語言 - 國語運動

802.589　　81001500

文史哲學術叢刊 ⑥

吳稚暉與國語運動

著者：詹　瑋
出版者：文史哲出版社
登記證字號：行政院新聞局局版臺業字五三三七號
發行人：彭　正　雄
發行所：文史哲出版社
印刷者：文史哲出版社
台北市羅斯福路一段七十二巷四號
郵撥〇五一二八八一二彭正雄帳戶
電話：三五一一〇二八
實價新台幣三二〇元
中華民國八十一年四月初版

ISBN 957-547-119-9

吳稚暉與國語運動 目次

前言

一 題旨說明

要討論吳稚暉先生與國語運動的事蹟，就得先知道何謂國語？何謂運動？何謂國語運動？

國語是全國人民共同採用的一種標準語，也是國家法定的對內對外公用的語言系統。（註一）運動是以解決某一種社會問題爲目的，完成某一種社會事業的設計和實際活動；它是喚起社會群衆對此社會問題的注意和認識，並且因而可以引發他們貢獻其自身的力量於此種社會事業，以解決此一社會問題。（註二）

國語運動是從清末延續到現在的一種文化運動。一方面要將標準語推行於全國，以統一全國語音；一方面將標準語的記音符號推行於全國，使失學民衆得以運用此種符號與人溝通，增進知識。前者是藉語言同音來促進全國的統一，後者是藉民智之普及以達富國強兵之目的。

吳稚暉先生生長在一個面臨內憂外患的動亂時代，既有外力的侵略，又加上中國本身的積弱不振，使國家統一及民智普及的需要益形迫切，這也就促使吳氏奮力投身於國語運動，終其一生，始終不渝。

二　研究旨趣

吳稚暉先生在現代史上是個奇人，有著多方面的成就與貢獻。他在中國政治上是屬於師保的地位，贊襄孫中山先生及蔣中正先生從事於革命大業。而且在黨國危急存亡之秋，每每挺身而出，或以言論匡正視聽，或以行動糾正不軌，使國家轉危為安。他篤信科學救國，提倡勤工儉學，樂育青年，對教育十分重視。此外，他也被譽為中國近代思想史上最徹底的思想家。（註三）但是，他一生用力最勤，從事時間最長的，要算是國語運動了。目前坊間關於吳稚暉的專書不少，對於國語運動亦有人作專門研究，而對於「吳稚暉與國語運動」此一主題，雖有人論及，但尚缺乏有系統的研究，本文之撰寫動機，即在彌補此一缺憾。

民國國語運動推行，至今已歷七十二年，吳氏從事國語運動亦達五十年之久。本文目的，即以吳氏之經歷為經，以國語運動發展過程為緯，探討吳氏在此一時期內從事國語運動之經過與內涵，闡明兩者之關係，以說明吳氏在國語運動史上之地位。

三　研究方法與範圍

本文係採歷史研究法，即按照資料的搜集、史料的考證、史實的敍述、歷史的解釋等步驟，運用分析、歸納、比較、綜合等方法（註四）以完成的。

研究範圍方面，時間斷限係自清同治四年（一八六五年）吳氏出生起，至民國三十八年大陸淪陷為止。因吳氏對國語運動之貢獻，最主要是在大陸時期。自民國三十八年吳氏來台後，實際上不再主持語運機構，而只給予推行語運者以精神上之支持而已。

在內容方面，大部分以敍述國語運動中與吳氏有關者為限，但背景之說明則少數之例外。

【附註】

註一　方師鐸，五十年來中國國語運動史（台北，國語日報社，五十四年三月一版，五十八年十二月二版），頁一。

註二　王炬，國語運動的理論與實際（台灣省國語推行委員會，四十年五月出版），頁二五。

註三　郭湛波，近代中國思想史（香港，龍門書店，一九七三年三月初版），第七篇吳敬恒，頁二二二。

註四　杜維運，史學方法論（台北，華世出版社，六十八年二月初版，六十八年十月再版），頁五四。

第一章　早年生涯與漢字改良

第一節　清末語文改革理念之形成

中國文字，在東周列國之時本不統一，秦初兼併天下，丞相李斯上奏，罷其不與秦文合者，而造成了文字統一之局面（註一），漢字經數千年之使用與演進，在形體上，雖有篆、隸、楷、行、草體之異，蓋祇爲書寫方式之別，其爲漢字則一。垂至清末，面臨數千年未有之變局，傳統文化，不足以應付變局，勢必重新評估其價値，清末語文改革運動於是生焉。

一種運動之興，自非突然而起者，實有其形成之條件，吾人可自數方面觀察之：

壹　中國聲韻學歷代發展之趨勢

中國文字，以意爲主，除形聲外，其他字均無法從字面上辨識其音，卽使爲形聲字，經長久之流變，亦與原來之音相差甚遠，是以，對漢字須有一標示讀音之法，然自古以來，並無音標可資利用，於是有「譬況字音」之法出。

一、**譬況字音**：如淮南地形訓：「其地宜黍，多旄犀。」高誘注：「旄，讀近綢繆之繆，急氣言乃得之。」然此類譬況極其模糊，不易明白，如「急氣」、「緩氣」等譬況之詞，實難以令人揣摹，於是譬況之外，又有「讀若」之法。（註二）

二、**讀若**：此法較「譬況」發音稍省事，只舉一讀音相彷彿之字，約略注明某字之讀音而已。如「A」讀若集，「詢」讀若宣。然「讀若法」尚只得其彷彿而已，非其本字之音，是以乃復產生「直音」之法。（註三）

三、**直音**：此法係以另一字來注明本字之音，其條件爲兩字之讀音必須相同。如「厶」音司，「麋」音彌。然而讀書時，須逢不識之字，才需要標注讀音；若用以標注之字亦不易識，便失其注音之功效。而且若無同音字或同音字寥寥可數者，則尋一注音之字，便生困難。於是不得已而改用二字合讀一音之法注音，漸趨於拼音之一途，所謂「反切」之法，由是應運而生。（註四）

四、**反切**：「反切法」之創始者，傳爲魏之孫炎，或以爲係東漢應劭所作。顏氏家訓云：「……孫叔然（炎）創爾雅音義，漢末人獨知反語；至於魏氏，此事大行。」是反切之法，始於漢末，而盛於魏。（註五）。然其時尚與直音並行。

「反」之意爲「翻」，「切」之意爲「拼」；反切即以兩字拼出一音，其拼音之法，係上字取其聲，下字取其韻。以上字之聲，拼以下字之韻，即得被注音之字之音。故上一字約相當現今注音符號之聲母，下一字約相當於韻母。反切法可算注音符號之起源。然只有注音，而無符號，僅是借兩字當作符號。（註六）如「通」爲他紅切，「門」爲莫奔切。

然反切爲兩字相切，漢字本身，本不適於作拼音之用，因每一漢字之音皆由聲、韻拼合而成，作聲符之反切，上字其中含有韻，作韻符之反切，下字其中亦含有聲，拼成一字時，上字之韻，與下字之聲，勢必阻礙新字發音之正確性。（註七）如「徑」，古定切；「姸」，五堅切。此外，且有許多字，無法尋得適切之兩字以拼音，於是勢必另尋他法。

貳　西洋字母之影響

明萬曆天啓之間，數名耶穌會教士來華傳教，他們均有深厚學養，如利瑪竇、龐迪我、郭居靜、金尼閣等。他們和當時中國有名學者，如徐光啓、李之藻、楊廷筠等，均有來往，對明清之交的學術思想界，產生極大影響。如天文、曆法、輿地、理化、農業、水利、論理各方面，均有很大貢獻；而他們對中國音韻學上之貢獻，卻爲其他方面成績所掩蓋。

利瑪竇著有「太西字母」一種，分字父（即聲母）二十六、字母（即韻母）四十四，以此來拼切漢字。（註八）其後，金尼閣亦於明天啓六年（一六二六）完成「西儒耳目資」，藉此書中之「列音韻譜」，可使人聞聲而識字；而藉「列邊正譜」，可使人見字而知聲，此即耳資與目資。金尼閣歸納出「自鳴者五」、「同鳴者二十」，亦即五個母音，二十個字音，互相拼切成音。（註九）

利氏與金氏，對中國音韻學有卓越之貢獻，因他們以羅馬字母，分析漢字之音素，使向爲人所視爲繁難之反切，成爲簡單。兩氏之著作，令當時之音韻學者，如方以智、楊選杞、劉獻廷等，受其影響頗大。

楊選杞編成「聲韻同然集」，劉獻廷亦著「新韻譜」一書。劉氏爲中國首先從事於方音之調查與國語統一主張者，其分韻父三十二，韻母二十二（註一〇），另有五子橫轉，可切出一切之音。（註一一）其「新韻譜」業已失傳。此外有方以智作「通雅」。（註一二）此輩學者，雖皆有著作，然或未能完成，或已失傳，並未造成極大之影響。至雍正禁教，驅逐西洋教士後，此一音韻學上革新之曙光，又逐漸暗淡下來。

鴉片戰爭後，海禁大開，西人再次來到中國。以通商傳教之故，中西交涉頻繁，其時僑居中國之西洋人爲數頗衆，爲學習華語，廣傳福音起見，起初研究華語之拼音法式，一時創作華語羅馬拼音者甚夥（註一三）；惟以皆各自成系統，始終未有統一之拼音法式。其中流行最廣者，則數英國駐華公使威妥瑪（Sir Thomas Francis Wade）所創的威妥瑪式（T. F. Wade's System）拼音法。威氏於一八六七年在倫敦出版「語言自邇集」，發表其拼音法式，而一時風行，爲當時最通用之法式。（註一四）

叁　社會背景

一　國語統一之需要

中國領土廣大，種族甚多，交通不便，且方言複雜，彼此不能相通。語言學家周法高將中國境內語言分類，分屬五個語族—漢藏語族、南亞語族、阿爾泰語族、印歐語族、南島語族，而漢語僅爲漢藏語族中之一支。（註一五）

黎錦熙依江湖流域，分中國各部語言爲十二系：河北、河南、河西、江淮、江漢、江湖、金沙、太湖、浙源、甄海、閩海、粵海。惟其所分各系於同系中之語言卽未能統一，如廣東之廣州、潮州、嘉應州、瓊崖等地皆語言不相通；甚且一縣之中，卽語言各異。古時以交通不便，異地人民來往絕少，影響尚不大，時至近世，交通便利，各地人民來往頻繁，語言不通之弊害，卽完全暴露。（註一六）面臨外患不絕如縷，反觀國內內亂相尋，各自爲政，亟需統一語言，以爲國家統一之張本。

二　平民教育未能普及

中國字筆畫繁複，且五萬九百字中，常用者不過四、五千字，須徧讀十三經，乃可識此五千字。縱使資質聰明者，也必須下十餘年用功，纔有此種成就。（註一七）且古時中國，文與言趨於兩途，文字艱深，一般民衆不易了解；加以漢字因迄無適當音注，使孩童與失學民衆不易學習，是以教育效果不彰，識字之人極少；學術成爲少數人之專利，教育未能普及，文盲佔八十%（註一八），造成文化水準之低落；政令無法順利推行，一般百姓，於時事不甚了了，對國家亦無上下一體之情感。對於此類國民，欲求趕上歐西各國，不啻是緣木求魚。因之，知識分子遂欲改造語文工具，使之簡單易曉，以便於推行平民教育。

三　富強之企求

滿清末造，中國受到西方文化不斷衝擊，見西洋科技之進步，政法之完備，油然生歆羨之心；加以日本明治維新後，國勢蒸蒸日上；反觀中國，缺乏現代科學技術，社會經濟瀕於破產，政治紊亂，外患頻仍，更生無力，國家建設困難，有識之士，亟思改革，以求國家之富強。在此富強之動機下，知識分子或從經濟民生著手，遂有商戰與收回利權之運動；或自政治方面著手，遂有革命與立憲之運動。然而在「基本上，尤其重要者則爲民衆知識問題，若未能提高民衆知識，一切努力必將落空」。（註一九）是以由富強理念，而推至普及民智理念，而其入手方法，則自改革語文工具始。

肆　外力之衝擊

外力之衝擊，可自兩方面分述：一爲武力之侵略，一爲文化之衝擊

黎錦熙氏，將清末語文改革運動，分爲切音運動（註二〇）與簡字運動（註二一）兩時期。其分析切音運動之動機有二：

切音運動的動機，就在他們目擊甲午（一八九四）那一次大戰敗，激發了愛國的天良，大家推究原因，覺得日本民智早開，就在人人能讀書識字，便歸功於他們的五十一個假名；一方面又有幾位到過西洋的，不但佩服他們文字教育之容易而普及，更震驚於他們的「速記術」之神速，

於是乎群起而創造切音新字。（註二二）此即就武力之侵略與文化之衝擊分別論說。

學者王爾敏亦以為：

> 中國近代語文改良觀念，……動機之起始，導因於中日甲午戰爭，中國戰敗，割地賠款，訂立不平等條約，中國自此更陷入國際分割之深淵。……語文改良觀念，亦備為救亡圖存之一種主張。……（註二三）

是亦指出，外力侵略為語文改革理念觸動之主要因素。

另一方面，西洋文化傳入中國，對中國語文改革觀念之啓導，確有幫助，前已論及。西洋教士應用羅馬字母標注中國現代之方音，編成各種方言羅馬拼音，流行於沿海，遂激發中國知識分子，以羅馬字母拼切漢語之動機。如盧戇章之發明羅馬字母式之「中國第一快切音新字」，即受閩南教士利用羅馬字創制「話音字」所引起之動機。（註二四）而西洋語音學、語言學及其他科學知識，於清末輸入中國，使中國音韻學上之材料與途徑，亦隨之擴充展開，刷新其研究精神。（註二五）

此外，外人開設之報館，於新知識之傳播，新思想之鼓吹不遺餘力，對語文改革自亦造成影響。如上海萬國公報（Review of the Times）創辦人為美教士林樂知（Young John Allen），其內容除宣傳教義外，並介紹中外新聞、格致之學、西洋現代知識、政治革新與變法思想。（註二六）如盧戇章述其造切音新字緣由之「變通推原說」、「中國切音新字說」，皆在萬國公報發表。（註二七）

而梁啓超接受東西洋新思潮影響，開辦時務報，對語文改革亦頗注重，非惟刊出沈學所作音字「盛世元音」，梁氏並爲之作「盛世元音序」，闡明以切音普及民智，以達致國強之理。（註二八）報館之設立，使語文改革思想，藉報章雜誌傳播知識，開啓人心，其影響亦匪淺矣。

語文改革思想，於清初已肇其端，惟曇花一現。時至清末，由於種種內在、外在因素醞釀，造成語文改革之思想，復躍然欲動，並進而瀰漫全國。吳稚暉則身於此一環境中，自不能自外其身，凡此種種因素，乃促成其早年從事語文改革之活動。

第二節　家世與受學背景

壹　寒微身世

吳稚暉名朓，幼名紀靈，亦稱寄舲，字稚暉，後改名敬恒（註二九），別字朏盦。旅居海外時署名訒菴，對日抗戰時化名翰青，晚年自稱朏盦老人。（註三〇）

吳氏先世，原係望族，世祖高益公，爲周太王次子仲雍之後，累傳至元末明初，爲避兵亂，始由蘇州山塘里，編木爲筏，擧家乘之，溯河西上，出滸墅關，折而南行，止於太湖湖濱陽湖縣（今武進縣）之雪堰橋。子孫繁衍，累世以耕讀傳家，爲善於鄉閭。（註三一）祖治永公，工書善算，豪飲而爽直，性至孝，有任俠之風，外祖母常言，稚暉面貌性情，甚似祖父。（註三二）

父有成公字杞峯，敦厚樸訥，以善人著於鄉里；娶鄒氏，無錫望族，年十八于歸吳家，越二年生稚暉，時爲清同治四年二月二十八日（一八六五年三月二十五日）。因生之前得讖語曰：「郭巨埋兒天賜銀」，取名紀靈。其時外祖母陳太孺人年四十四歲，原居無錫，以連喪子女，故隨其女而居。（註三三）

據吳稚暉自言其身世：

曾祖母早寡，吾祖獨子，生吾父亦獨子，十歲喪母。吾母十八歲嫁吾父，曾祖母與吾祖，切望吾母生子。不料吾母至吾家之年，爲同治二年，曾祖母年九十，祖父六十，先後去世。至同治四年，吾母生我，伊方二十歲。時吾外祖母已喪其二子一女，止吾母一女，寄食吾家。……吾母生我之後，連生三女。二十五歲時，因生第三女，產後患痢而死。彼愛第二女，在其產時死去，故悲傷而致疾。彼死，所產第三妹亦未育而死，遺吾六歲，及吾大妹四歲。時洪楊之亂已平，外祖母本無子女，故撫吾兄妹二人如己孫，同回無錫北門老家鄒氏……。（註三四）

由此可知，吳氏三代單傳，而其於六歲時，母與二妹、三妹相繼去世，故外祖母遂挈其與大妹返無錫居住。後其父亦至無錫岳家所經營之陶器店幫忙。（註三五）

稚暉幼時，外祖母屢爲之言其母事。於家最貧乏之時，其母常飢餓一日或兩日，在親朋家中貸得米數升，卽有喜色，告外祖母曰：「母親，兒常聞鄙人言：「三石富，三石窮」，今兒之度日，正可謂三升富三升窮矣」。（註三六），由是可見，吳母雖處逆境，仍能樂觀曠達，稚暉日後之灑脫曠達，蓋肖其母也。

其母旣歿，家中貧甚，無以爲殮，借得錢氏銅錢二十千，始能買棺，棺中石灰不足，下層襯以稻草。據稚暉自言，其祖父卒時所殮之棺有縫，亦僅以紙糊而已（註三七），亦可見其家境窘迫之狀。

稚暉幼年，隨外祖母居無錫，家境本不富裕，供其讀書本已勉強。十四歲時，外祖母經營之商店收歇，學費籌措不易，欲稚暉前往錢莊學習技藝而未得，其父挈其往蘇州，友人勸令其習醫，其父以學費難籌而罷，遂回無錫，改就業師龔某，束脩六元，猶感張羅爲難。（註三八）

後外祖母負債愈多，情況困窘，稚暉十八歲時，以處境維艱，始設館授徒。開館之日，衣敝不敢前往塾館，輾轉無可爲計，外祖母遂質其外衣，爲購一布袍，方勉強赴塾。（註三九）時外祖母境況亦至困，所居僅一廛，簞食而瓢飲，稚暉隨外祖母而居，怡然而自安也。（註四〇）

少年時之貧困生涯，令吳稚暉日後生活自奉甚儉，雖居於市廛之陋室，粗食淡飯，布衣芒鞋，仍其樂融融。而於英倫游學之時，與石瑛同住於貧民窟地區，亦安之若素，不以爲苦。（註四一）

吳氏早年困勉求學經歷，使其深體平民教育之重要，亦以此爲其平生職志。而吳氏於平民疾苦知之甚稔，是以後來提倡平民教育與國語運動，無不從極簡單極淺顯之處著手，不好高騖遠，此實受其早年經歷影響，有以致之也。

貳　受學背景

吳稚暉爲常州府武進人。常州一府八縣，包括首縣武進及陽湖兩縣，以及無錫、江陰等縣。於明、清兩代，人文薈萃，諸如經學、辭章、算數、輿地乃至詩詞，均有獨特成就。而常州學派，於明清兩朝，有其特殊之風格，治經、講理學、能文章，研治之範疇，德性與學術，兼容並蓄。（註四二）而清代今文學派之復興者莊存與及其弟子劉逢祿，皆爲常州人（註四三），是以常州學者，甚有經世之思想。吳稚暉生於斯，長於斯、就學於斯，於其思想，自有某種程度之影響。

稚暉七歲啓蒙，初隨張鼎臣就讀，未幾，卽改入鄒翰卿書塾中。（註四四）九歲時，改就鄒錫安讀書，旋赴對岸之北塘，改從陶志伊讀「幼學須知」及四書。（註四五）陶設館於北塘某綢緞莊之後進，該店中有一瘌痢學徒，稚暉每日上學見之，甚覺其可厭，卽以三文錢，購一遊戲文章名「瘌痢經」者，每當進塾時，且走且唸，藉以取笑小瘌痢學徒爲樂，事隔數十年，猶能脫口背誦。稚暉後亦因此悟出讀書作文之道理，認爲凡事熟能生巧，不論讀國文或外國文，苟能熟讀，卽可終身受用不盡。（註四六）

十四歲時，就龔春帆讀左氏傳，始作八股文。越四年，以家境日窘，始設館授徒於無錫。（註四七）夜間常與同學至崇安寺春源茶社，談八股文，並交換新知。其治「皇清經解」甚有功力，長於史論，文學桐城派古文筆法，對詩賦喜讀而不常作。（註四八）

清末之社會，一般士人仍群趨於科舉一途，以求取功名，提高社會地位。據統計，清代科舉人才以江南居多，佔百分之七十，其中又以常州府爲最。（註四九）在如此環境下，吳稚暉自未能免俗。自十四歲至二十四歲，十年之間，先後數度應童子試、院試、府試，且終於得中舉人（註五〇），時已二十七歲。

光緒十五年（一八八九年）一月，吳稚暉偕孫揆均等，至江陰投考南菁書院。應試時，作史論兩篇，以篆字書之，而以古學第一名正取。乃遣散學生，收歇塾館，至南菁書院肄業。（註五一）在南菁數年，奠定其舊學深厚之基礎。南菁書院對其畢生之學術修養影響極大（註五二），有必要在此一述。

南菁書院創辦於清光緒十年，由江蘇學政黃體芳捐廉倡建。專課經學、古學，以補救時藝之偏。兩江總督左宗棠指撥長江水師游擊署故址爲院基。常年經費，初以左宗棠捐集公款兩萬兩，儲存生息；後民間復陸續捐助沙田，以田租之入充作經費。左氏並分請全國各省官書局協撥名版書籍，庋存於藏書樓，於是書院規模燦然大備。（註五三）

書院乃取朱子子游祠堂記「南方之學，得其菁華」命名。建立院舍七進，爲課生齋舍，及掌教住宅。課分經學、古學兩門，各設內課生二十人，分居訓、詁、詞、章四齋。每齋十人，設齋長一人（註五四），吳稚暉卽住詁字齋中。（註五五）

書院於光緒十年秋開課，掌教爲南滙張文虎，到院兩月，以足疾辭歸。改延定海黃以周，在院凡十五年，建樹頗多。（註五六）吳稚暉卽於黃氏任掌教期內入書院，受其啓迪甚多。

黃以周，字元同，定海人。以爲三代下經學，鄭君、朱子爲最；不以漢學家破碎大道，宋學家棄經臆說爲然。生平篤守顧亭林經學卽禮學之訓，以追討孔門之博文約禮。邃於三禮，嘗曰：「挽漢宋之末流者，其唯禮學乎？」。（註五七）元同之爲教，經學則漢宋不分，理學則朱陸不分，惟其求是而已。（註五八）

吳稚暉既入南菁，首日卽謁見山長黃以周先生，見壁上「實事求是，莫作調人」八字在焉，心竊好之，畢生奉爲圭臬。（註五九）

「實事求是」四字，出自漢書河間獻王傳，下接「莫作調人」四字，此爲黃以周至精警之句，發前人之所未言，致使吳稚暉大吃一驚。（註六〇）而此八字之意義、據張其昀闡釋：

眞理只有一個，此是則彼非，彼是則此非，無可中立者，若曰兩者俱有，斷無此理。且論學較論人，應更爲謹嚴，論人不妨稍留餘地；論學者必須直窮到底，一著含糊，卽所見不確。眞理因辯而愈明，因不辯而晦。甲之反駁，適足以促成乙方之猛省，故考證是非，反覆商量，正所以發明眞理。（註六一）

吳稚暉後晤及胡適，談及首見黃以周之事，表示對此八字，其一生未曾或忘。而胡適以爲，吳氏長達七萬字之「一個新信仰的宇宙觀及人生觀」，千言萬語，只是吳氏進南菁書院首日所見「實事求是，莫作調人」八字之精神。（註六二）而當時吳氏所主張的：

這國故的臭東西，……非再把他丢在毛厠裏三十年不可。現在鼓吹一個枯燥無味的物質文明，人家用機關槍打來，我也用機關槍對打，把中國站住了，再整理什麼國故，毫不嫌遲。

吳稚暉上面這一段話，亦卽爲此八字之精神（註六三）的一種具體說明。

吳氏於南菁書院期間，治學甚勤，每於課餘之暇，日索書院藏書以讀，首誦其序，繼覽其文，摘錄其精華，窮日夜以竟之。主藏書者，乃皤然一叟，厭吳氏之煩而又心喜其勤。見吳氏至，強笑迎曰：「料君將至矣！」吳氏亟謝不遑，由是畢讀南菁藏書。（註六四）

觀吳氏於南菁時期所作「壬辰叢鈔」與「癸巳讀書記」，足見其自課甚嚴，且涉獵極廣，徧及經、史、子、集，而於文字聲韻之學，能探其源究其流變，於各類韻書均曾詳讀，並作札記。（註六五）此外，吳氏於文字音韻方面，時作嚴格之自我訓練。如讀書遇不識字，卽另抄一紙，每日就此中取五字，檢字書審音求義錄典，另一册書之，題曰：「鑑叵錄」，務審正音，勿得苟且。（註六六）又如吳氏將十三經及說文中所有字，就字典對之，計其正文、新增、補遺、備考各幾何，正文中分「能讀者」、「存疑者」、「不能讀者」，各以紙書之。（註六七）足見吳氏其時已從事漢字及字書之重整工作。一音一義，皆能實事求是，不肯苟且，亦見其爲學精細工夫，由是紮下其文字音韻學之深厚基礎。

南菁時期，吳氏已注意及中國文字不能普及大衆之問題，曾於「壬辰叢抄」十月初三日記之曰：「日本別有俗字，謂之普通字，中國文字，惟讀書人識之。」（註六八），且於次年（癸巳年）七月，深究滿文十二字頭之拼音法（註六九），此於其日後之發明「豆芽字母」，自亦有其影響。

第三節　豆芽字母之發明

光緒二十年（一八九四），中日甲午戰起，中國海陸軍皆慘敗。翌年，訂馬關條約。又明年，吳氏於蘇州製作「豆芽字母」，其製作字母之動機，可自兩方面觀察：一爲切音運動之影響，一爲甲午戰敗之刺激。今從此二方面分別論述。

壹　切音運動之影響

近代中國，屢遭外患，國人頗思自強；尤自甲午戰敗，部分有識之士，爲期普及民智，使國家能臻於富強境域，乃起而製作切音字母。此輩人士，以盧戇章、蔡錫勇、沈學、力捷三、王炳耀爲代表。此一時期，稱「切音運動時期」（自一八九二—一九〇〇），爲明其概況，茲列表說明如下：

姓名	籍貫	學歷	經歷	作品發表時間	作品名稱	所創字母系統
盧戇章	福建同安	受傳統教育，後至新加坡學英文	任教於私塾，助傳教士譯英、華字典	一八九二年	中國第一快切音字	羅馬字母
			任駐美、日、秘三國公使參贊，歸署漢海關道			

蔡錫勇	福建龍溪	幼肄業同文館	。居華盛頓四年，曾至國會旁聽，對速記大爲心儀	一八九六年	傳音快字	速記系
沈學	江蘇吳縣	上海聖約翰書院		一八九六年	盛世元音	速記系
力捷三	福建永泰	甲午舉人		一八九六年	閩腔快字	速記系
王炳耀	廣東東莞	通英文	傳教士	一八九六年	拼音字譜	速記系

盧、蔡、沈、力、王諸人，均生長於沿海省份，如江蘇、福建、廣東。蓋沿海省份西洋人到達較早，人民與西方文化接觸較多，易於接受新思想，亦易傾向改革。

自學歷上觀之，盧戇章曾至新加坡習英文，蔡錫勇幼曾肄業同文館，沈學爲上海教會學校卒業，王炳耀亦通英文。自經歷觀之，盧戇章曾助傳教士繙譯英華字典，蔡錫勇在美期間，曾親眼目睹速記術之神奇，王炳耀爲宣教士。是以彼輩或曾習英文，或常接觸西人，或曾至國外，諸人之創出羅馬字母式及西洋速記體之拼音符號，顯然受到西方文化之影響。

吳稚暉生長江蘇，而地處濱海，接觸西方文化既早，而其時西人及西教士所製作之羅馬字方言拼音，如上海白、寧波白、廈門白等，不下百餘種，早已流行中國沿海各省（註七一），對吳氏語文改革理念之觸發，自有影響。

報紙對語文改革思想傳播之功亦不可忽視。吳氏自甲午年始，常託友人購滬報閱之，初欲藉以聞知中日戰爭消息（註七二），後遂資其以廣見聞。（註七三）觀吳氏日記所記，知其曾托友人衡之寄萬國公報（註七四），托孟兼寄時務報，並與其信中討論沈菊莊（沈學）字母。（註七五）萬國公報與時務報，曾刊登盧戇章與沈學發表之音字作品，已見前述（註七六），是以吳氏受切音運動諸人之影響，乃必然之事。

貳　甲午戰敗之刺激

光緒二十年（一八九四年）七月，甲午戰爭發生，吳氏於甲午日記中提及戰事者，每數日一記，頗不以朝廷諸大臣誤國爲然，其於致陸爾奎函中，多方致其憤懣之情。其函云：

繫大局持兵柄者李相，李相之可剮可殺，固然；已握樞機輔睿斷者諸大臣，諸大臣之闒茸，足下知之，其全無人心，頑愚誤國，同一可剮可殺，則足下未知也。（註七七）

此外，其所筆記之「耳學」，卽專錄甲午戰事及議和情形，於十月初四日記中，曾激忿言道：

部臣該死，莫有過焉。……然我中國之拘虛無遠略，其獨部臣爲然？洋務之適用者不法（效法），而卻於禮節、應酬、飲食、起居、奇技上用心，眞可謂盡是奴才矣！（註七八）

於此道盡清政府當政者之昏庸心態，無怪乎中、日同時推動自強運動，而甲午一戰，中國慘敗，乃良有以也。

吳氏於甲午年十二月由天津至北京，寓錫金會館，同鄉徐仲虎每日至榮祿處，常與吳晤面，談清廷種種措施，吳聞後，對清廷更生疾惡之感。（註七九）吳氏後來說：

我自甲午年被日本的大砲轟開了眼界，就知道了一個分別，叫做中國教育衰敗，外國教育興盛。要教育興盛……希望人人能造機器，造洋貨，不要買人家的東西，能造大砲機關槍，把洋鬼子壓得帖帖服服，不來欺負。（註八〇）

欲達到此目的，便是實施平民教育，使每一平民「由識得字，懂得造機器，造洋貨，造大砲機關槍的法子。」（註八一），而中國字本繁難，「等到識字，幾乎把時間機會，都化完了。」（註八二）是以吳氏便從改良教育工具—文字著手，他回憶當時造字母之情形云：

講到音符，蘇州的沈學，在時務報上有十八筆的製作。……自然還有王炳耀、盧戇章、蔡錫勇等，早學著教會的洋人，已各造音符。就是我，也於乙未年（註八三），在蘇州吳縣官衙門裏，當西席老夫子，依了康熙字典的字韻，做成一副「豆芽字母」。我的豆芽字母，做成的動機，無非與以前教會洋人把歐母借用的，如王炳耀等用簡筆或偏旁造成的，與後來沈學之十八筆，及王照之官話字母等，皆注重簡字。……當時我在蘇州，施起豆芽字母之功用，暗合著最有用之原則，就是做出許多通俗教本，將漢文寫成，把字母注在旁邊，用通信法，教通了好幾個失學親友。（註八四）

由以上所言可知，吳氏當時係受切音運動之影響，而製造音字。造字之目的，爲教育失學民衆，是以筆劃力求簡單。與其他從事切音運動者不同之處，即他人皆以拼音文字代替漢字，而吳氏卻以「

豆芽字母」輔助漢字。此點亦影響及於巴黎「新世紀週刊」後期之漢字改良主張。

吳氏之「豆芽字母」，共計子音五十七，母音十八，合爲七十五字母。原字母如下：（注音字係用常州語音）。

格吉古居　克吃苦去　豻及咕拒　忤業瓦尼　得的脫貼　特敵納　諸處儲　不畢潑撇　勃別姆

密　勿佛未　子節次切　斯雪是習　輸樹　黑呼吸虛　合移糊葉　立兒

以上爲子音。

翁盎衣宇　烏阿愛恩　淹菴烟澳　蝸杏歐惡　阿厄

以上爲母音。（註八五）

一般認爲，吳氏之「豆芽字母」係屬於篆文省體，與章炳麟之紐文韵文同。（註八六）如「・」係「主」字之篆文省體，「/」係「撇」字之篆文省體，「卩」係「節」之篆文省體……。然仔細分析，亦非全爲篆文省體，部分字母，如）（ᗅ等，頗類蔡錫勇、王炳耀之速記系字母，而A ∢ ∀ ℓ e p q ʬ L等，復頗類英文字母。凡此種種，表示吳氏創製字母之時，所受影響似不止一種。

後來吳氏出國，便以此「豆芽字母」與其夫人、子女通信。（註八七）其妻本不識字，藉此居然可與其互通音問，不能不說是文盲之一大福音。吳氏自此體認，音字實爲幫助文盲之一大利器，對民國以後，其大力推動注音字母，以協助平民識字一事當有影響。

觀吳氏此一時期之語文改革思想，其於漢字似尚未存廢除之念，祇以創製簡易音字以使平民易識易寫；爲一輔助漢字之工具，此與其後，於巴黎「新世紀」前期之廢棄漢字主張大相逕庭。

光緒二十三年至二十八年（一八九七－一九〇二），吳氏曾先後任教於北洋大學堂及南洋公學，並兩度赴日。在日期間，於日文自學甚勤。（註八八）而於南洋公學任教時，亦曾隨友習法文十餘日。（註八九）

光緒二十九年（一九〇三）五月，蘇報案發。（註九〇）吳氏爲避禍計，擬赴歐留學，先至香港，滯半月後，乘輪赴英（註九一），於船上勤習英文字母、文法，旁及巫文。（註九二）至英後，訂定方法，全力學英文（註九三），兩年後至法，習法文亦甚勤。（註九四）

由是可知，吳氏於各國語言學習興趣甚濃，且用力甚勤，除中國文字聲韻學基礎紮實外，兼及深究東西洋之拼音字母，其日後從事國語運動，於各種文字之比較如數家珍，實出於此。

【附　註】

註　一　符顯仁，中國文字面面觀（台北，莊嚴出版社，民國「以後省略」七〇年元月初版），頁二九。

註　二　白滌洲，從反切到拼音(一)，國語週刊五七期（民國二十一年十月二十二日），頁一一九。

註　三　白滌洲，從反切到拼音(二)，國語週刊五八期（二十一年十月二十九日），頁一二一。

註　四　同註三。

註　五　方毅，國音沿革（台灣商務印書館，六十二年十二月台一版），頁一七。又見邵鳴九編著，國音沿革六講（台灣商務印書館，六十二年八月台一版），頁二五—二六。

註　六　祁致賢，國語教會（台灣省國語推行委員會，五〇年），頁三九—四〇。

註　七　謝雲飛，中國聲韻學大綱（台北，蘭台書局，七二年八月三版），頁五六。另見邵鳴九，國音沿革六講，頁一三一、一三四。

註　八　羅常培，耶穌會士在音韻學上之貢獻，中央研究院歷史語言研究所（以下簡稱中研院史語所）編輯委員會編，中研院史語所集刊第一本第三分（台北，中研院史語所員工福利委員會印，六〇年一月再版），頁二六九。

註　九　同註八，頁二七四—五。又見張世祿，中國音韻學史（下）（台灣商務印書館，五九年十月，頁三三一。

註一〇　全祖望，劉繼莊傳，附於劉獻廷著，廣陽雜記（台灣商務印書館，六十五年四月初版），頁二。一見梁啓超，中國近代三百年學術史（台北，華正書局，六十三年十月台一版），頁一八八。一見心恬，劉繼莊的音韵學㈢，國語週刊三四期（二十一年五月十四日），頁七一。

註一一　五子橫轉，指陰平、陽平、上、去、入五聲。

註一二　同註一〇。

註一三　據胡英統計，就其所知，外人製作華語羅馬拼音，有著作可稽者，即達三十九家。其餘未列者，當更不計其數。見胡英，三百五十年來在中國的羅馬字拼音紀略，國語週刊一〇五期（二十二年九月三十日），頁二一九。

註一四　同註一三。

註一五　周法高，中國境內的語言，收入其所著，中國語文研究（台北，華岡出版部，六十二年十月初版），頁一二。另見鍾露昇，國語語音學（台北，語文出版社，六十八年四月十版），頁七。

註一六　方毅，國音沿革，頁二。

註一七　盧戇章，變通推原說，林樂知主編，萬國公報（台北，華文書局，五十七年九月影印），卷七十八，頁一三。

註一八　根據E・S・RAWSKI 之統計，清代男子識字率在30.%～40.%，女子則在2.%～10.%。見Evelyn・Sakakida Rawski, Education and Popular Literacy in Ch'ing China・(Published by Uni of Michigan,1979・),P・140・然張朋園先生以爲，作者將識字之定義訂得太寬，是以估計過高，事實上僅有不到20.%之識字率，今採張說。見張朋園，許勞著「清代教育及大衆識字能力」，中研院近史所集刊第九期（六十九年七月，台灣台北），頁四五九—四六〇。

註一九　王爾敏，中國近代知識普及化之自覺與國語運動，中研院近史所集刊第十一期（台北，十一年九月），頁十五。

註二〇　切音運動，乃因其倡始諸人如盧戇章、力捷三、沈學、王炳耀、蔡錫勇等，皆欲以一種切音工具代替繁難之漢字，是以命名，見黎錦熙，國語運動史綱（上海，商務，二三年初版），頁一〇。

註二一　簡字運動，以其倡導人中，勞乃宣著有簡字全譜，且倡導諸人之音字，皆取漢文偏旁或簡體寫成，是以命名。見前書，頁二三、二四、二八。

註二二　見前書，頁一〇—一一。

註二三　同註一九，頁一五。

註二四　羅常培，國音字母演進史（上海，商務，二十三年九月初版）頁一一。

註二五　張世祿，中國音韻學史（下），頁三五四。

註二六　李瞻、石麗東合著，林樂知與萬國公報（台北市新聞記者公會，六十六年九月初版，頁四、八。又見張星烺著，歐化東漸史（台北，地平線出版社，六十三年五月台一版），頁一〇〇。

註二七　萬國公報卷七八，頁一三—一四；卷八一，頁九—十；卷八二，頁九—十；卷八五，頁九

—十。

註二八　見梁啓超、汪康年主編，時務報（台灣華文書局景印，五十六年五月初版）；第一冊，總頁二〇九、二一二；第二冊，總頁八一五。

註二九　名朓之故。因其二十歲之前，偶得謝宣城集精本，好其詩極篤，至取稚暉之名自命。戊戌年在上海，深知國事非可以考據記誦了之，遂與元和陳懋治，共約不復再讀線裝書，旋改名敬恒。因闕敬與恒，不足任己以天下之重，故命名以小箴。見「寒厓詩集」序，吳稚暉先生全集編纂會主編，吳稚暉先生全集，（台北，中國國民黨中央委員會黨史史料編纂委員會（以下簡稱「黨史會」），民國五十八年三月二十五日出版），卷十六雜著，頁二七八、二七九。

註三〇　陳洪校訂，陳凌海編撰，吳稚暉先生年譜簡編（以下簡稱「陳編吳年譜」），吳稚暉先生全集（以下簡稱「吳全集」），卷十八雜著附錄，頁一。

註三一　同註三〇。

註三二　西歐寓客之家乘，庚午年，吳全集，卷一五，頁二五三九。

註三三　楊愷齡編，民國吳稚暉先生敬恒年譜（以下簡稱「楊編吳年譜」）（台灣商務印書館，七〇年四月初版），頁二、四。

註三四　致衞聚賢書，吳全集，卷一六，頁二五三—四。一見梁容若撰，吳稚老談辭壽，傳記文學四卷四期，頁三八—三九。一見吳稚暉撰，謝壽啓，收入劉紹唐主編，文史新刊之一五〇，吳稚暉書信選（台北，傳記文學出版社，五十九年十二月一日初版），第三集，頁四六六—七。

註三五　陳編吳年譜，頁三。

註三六　癸巳日記，四月初四日，吳全集，卷十一，頁一五八。

註三七　西歐寓客之家乘，辛未年，頁二五三九。一見湯承業，吳稚暉先生之寒微家世與寒涼身世，國立編譯館刊第十卷第一期，頁一三一。

註三八　楊編吳年譜，頁七；一見陳編吳年譜，頁五—六。

註三九　楊編吳年譜，頁八；一見陳編吳年譜，頁七。

註四〇　陳編吳年譜，頁七。

註四一　賴景瑚，念吳叔微追思稚老和蘅公，傳記文學三十九卷三期（七十年九月），頁七〇。

註四二　程滄波，吳稚暉與南菁書院，江蘇文獻新十四期（六十四年六月二十日），頁三—四。

註四三　王樹槐，中國現代化的區域研究—江蘇省（一八六〇—一九一六）（台北，中研院近史所，七十三年六月初版），頁六五。

註四四　西歐寓客之家乘，辛未年，頁二五三九。

註四五　楊編吳年譜，頁六。

註四六　陳編吳年譜，頁四。一見「倒背臘痢經」，伍稼青輯述，吳稚暉先生軼事（台北，芬芳寶島雜誌社，六十六年五月一日），頁五九—六〇。

註四七　陳編吳年譜，頁五—六，楊編吳年譜，頁七。

註四八　張文伯，吳敬恒先生傳記（台北，黨史會，五十三年三月二十五日），頁二。

註四九　同註四三，頁五一。

註五〇　楊編吳年譜，頁一四；陳編吳年譜，頁一二。

註五一　楊編吳年譜，頁一一；陳編吳年譜，頁一〇。

註五二　程滄波，吳稚暉先生的文化背景，東方雜誌復刊八卷九期（六十四年三月），頁五一。

註五三　江陰縣續志㈠（成文出版社，五十九年五月台一版）（據民國陳思等修，繆荃孫等纂，民國九年刊本影印）；又見祝樞壽，江蘇公立南菁中學在台校友發起組織校友會緣起，江蘇文獻專刊二四期（七十一年十一月十五日）。

註五四　坡鄰老人趙椿年，覃揅齋師友小記，中和月刊二卷三期（三十年三月一日），頁六；又見胡適，關於江南菁書院的史料，大陸雜誌一八卷一二期（四十八年六月三十日），頁三五九；程滄波，吳稚暉先生與南菁書院，江蘇文獻新十四期，頁四。

註五五　吳撰，寒厓詩集序，吳全集，卷一六，頁二七七。

註五六　坡鄰老人趙椿年，覃揅齋師友小記，頁七。

註五七　陳訓正，馬瀛纂修，定海縣志(二)（台北，成文出版社據民十三年鉛印本影印，五十九年十一月台一版），人物志第十，黃以周，頁三六五；另見繆荃孫纂錄，續碑傳集，文海出版社出版，卷七五，儒學五，黃以周，頁三；蔡冠洛編，清代七百名人傳，文海出版社，第四編，學術，樸學，黃以周，頁一六九六。

註五八　同註五六，頁九。

註五九　吳撰，寒厓詩集序，吳全集，卷一六，頁二七七；胡適，追念吳稚暉先生，傳記文學四卷三期（五十三年三月），頁四一（原載自由中國十卷一期）；另見Boorman Howard C, and Rechard C, Howard (ed), Biographical Dictionary of Republican China, N·Y·1967· pp 417·

註六〇　胡適，追念吳稚暉先生，收於黨史會編印，吳稚暉先生百年誕辰紀念專輯（五十三年四月，台北出版），頁一六。

註六一　張其昀，國立浙江大學，收入中華民國大學誌—丁惟汾先生八秩榮慶祝賀論文集（中國新聞出版公司，四十二年九月一日出版），頁六八。

註六二　同註六〇。

註六三　同註六〇。

註六四　俞勗成，吳稚暉先生言行散記，中國一周一九七期（四十三年二月一日），頁一九。又見陳編吳年譜，頁一一。

註六五　如癸巳讀書記，四月廿九日，讀古今中外音均通例，將等韻、音韻闡微、司馬氏指掌圖、邵子音圖、九音、四呼等均作注。

註六六　癸巳讀書記，五月初四日，吳全集，卷一一，頁二七六。

註六七　癸巳日記，六月廿七日，吳全集，卷一一，頁三一一—二。

註六八　吳稚暉，壬辰叢鈔，十月初三，吳全集，卷一六，頁九二。

註六九　癸巳日記，七月二十七日，吳全集，卷一一，頁二一八。

註七〇　本表資料，散見羅常培，國音字母演進史，頁一一、五四—六一。

註七一　張世祿，中國音韻學史（下），頁三三三。

註七二　甲午日記，六月初一日、七月二十日，吳全集，卷一一，頁三三三、三四三。

註七三　丙申日記，三月初一日，吳全集，卷一一，頁四九一。

註七四　丙申日記，十一月十五日、十二月十八日，吳全集，卷一一，頁五四一、五四九。

註七五　丙申日記，九月十八日、二三日，見吳全集，卷一一，頁五二九—五三〇。

註七六　詳見本章第一節。

註七七　致陸爾奎函，吳全集，卷一七，頁五三六。

註七八　耳學，吳全集，卷一一，頁三九〇—一。

註七九　陳編吳年譜，頁一四。
註八〇　吳稚暉，三十五年來之音符運動，吳全集，卷五，頁三一五。
註八一　同註八〇，頁三一六。
註八二　同註八一。
註八三　據陳編吳年譜頁一五及楊編吳年譜頁一九，均指出爲丙申（一八九六）年，而非乙未（一八九五）年。
註八四　三十五年來之音符運動，頁三一九。
註八五　本資料出自陳編吳年譜，頁一六。
註八六　黎錦熙及羅常培皆主此說。見黎錦熙，國語運動史綱，頁二一、四六；羅常培，國音字母演進史，頁六五—六八。
註八七　陳編吳年譜，頁二九；示女芙兒詳，吳全集，卷一七，頁四〇七；示女芙，吳全集，卷一七，頁五一九。
註八八　民國前十一年日記，吳全集，卷一二，頁六八四、六八八。
註八九　自蘇報案至赴歐日記，吳全集，卷一二，頁七一九。
註九〇　初，吳稚暉與章炳麟爲蘇報主筆，於蘇報上連續發表攻擊滿清政府之文，並於張園公開演說革命，封蘇報，章炳麟、鄒容被捕，吳稚暉得訊出亡，是爲「蘇報案」，見吳稚暉，回憶蔣竹莊先生之回憶，收於吳則中輯，稚暉先生一篇重要回憶（台北，世界書局，五十三年三月初版）。

註九一　吳稚暉述上海蘇報案記事，收於馮自由，革命逸史第三集（台灣商務印書館，六七年二月台三版），頁一八二；又見張文伯，吳稚暉先生傳記（台北，文星書店，五十四年一月二十五日初版），頁二一；又見陳編吳年譜，頁二七。

註九二　自蘇報案至赴歐日記，吳全集，卷一二，頁七一七—七二七。

註九三　旅途日記，吳全集，卷一二，頁七八六。

註九四　民國前五年日記，吳全集，卷一二，頁一〇八七、一一〇四、一一〇五、一一一七。

第二章　新世紀時期之漢字改良主張

清末中國遭到一連串挫敗與羞辱，朝野憂時之士，紛陳自強之策，以謀救國圖強。究其內容，雖已知擷取西方政法之精華，然仍爲周遭環境所限，不脫中國傳統文化之範疇。

反觀身處海外之留學生，負笈他鄉，身受西式教育，所接觸者爲西方式社會，思想上面臨西方雜然紛起之各種學說，此均爲中國傳統知識分子所從未履歷之經驗。原有對舊環境之不滿，經與西方社會一接觸，於現實環境之比較刺激下，復接觸其時正於歐洲蓬勃發展之各種學說思潮，自易深深爲其吸引（註一），吳稚暉即此輩中之一人。

第一節　接觸新思潮

吳稚暉於赴英前，因感於國難之深，其思想已由守舊轉維新而漸趨向革命。此思想之轉變，殆由時勢所激成，對其於英、法期間思想之轉趨激烈有甚大影響，有必要先在此一述。

甲午戰爭，吳尚爲一「但慕咬文嚼字之陋儒，而經過甲午慘敗，始覺中國不能不學西方工藝，學了西方工藝，才能造大礮、機關槍，抵抗敵人，所謂『興學之不容緩』，乃開始冒充爲維新派的小卒」。（註二）次年（一八九五），吳第三次參加會試未中，便領悟「國事非可以考據記誦了之」，遂放棄應試求仕之傳統路子，而轉談自強救國的時政。（註三）

丙申年（一八九六）張之洞允康有爲辦「強學報」，同年七月，梁啓超之「時務報」復於上海出版，吳頗受其議論所影響。（註四）

次年吳氏於北洋學堂教書，曾往晤康有爲，相約不考八股、不纏小脚、不吸鴉片，後以康食言，遂鄙其爲人。戊戌年（一九九八）元旦，吳並曾攔瞿鴻璣轎，上變法摺，然亦無結果。其時雖自以爲維新前進，然仍不脫忠君之窠臼。（註五）同年六月，與北洋學堂校長不合而辭職，赴南洋公學任教。其內心仍以爲維新卽爲要保住辮子，與清廷採妥協之態度。（註六）

吳氏於南洋公學時，主張發給學生槍枝，練成軍國民，以及師生同理校務。以校方不同意，遂辭職東渡日本，入東京高等師範就讀，接受新式教育，未幾旋又回國。（註七）

一九〇二年，吳挈少年數十位赴日留學。六月，以清駐日公使蔡鈞，拒絕保送學生入軍校事，吳與之爭執。蔡某喚日警將吳驅逐回國，吳以人格受侮辱，憤而跳河，遇救。此時其已覺清廷腐敗之甚無可救藥，故其投水時所懷絕命書中有言：「亡國之慘，將有如是」。（註八）

吳於回國後，思想大爲轉變，趨向革命，不惟與蔡元培、章炳麟共同成立中國教育會、愛國學社等革命團體（註九），另於「蘇報」擔任撰述，猛烈抨擊清政府，並屢至張園登台演說革命，迄「蘇報案」發，方出亡赴歐。（註一〇）

一九〇三年九月四日，吳氏抵倫敦，旋赴蘇格蘭，居愛丁勃賴堡。（註一一）其於英國，接觸歐西諸般事物，相形之下，漸覺中國處處不如人，他在「致某君函」中有云：

我感於一事，英太子往遊印度，所到者數十處（今尚未遊畢），然何日達某處，作某事，何日離開，遙遙半年，皆一一預定，照單而行，無一偶違。余乃大奇，後始知洋兒子做事，無一不然。若如五大臣之調查，今日不出京，明日言先至何處，經費則隨意瞎估，在西人已經笑煞。……（註一二）

又如其初至英倫時於「致某函」中記歐人之好學云：

歐人無少長貴賤，每日早起，諸事未過問，先讀晨報，傍晚職業既休，諸事不過問，先讀晚報，……設在中國，有能日啖三餐飯，居靜室，不見一物，每坐竟日，如欲尋得姑嫂閒話。……。（註一三）

吳氏由比較而歆羨西方文明，渴思學習，是以除勤習英文外；另研究科學及革命理論；並於倫敦一工業專門學校學習寫眞銅板，復至勃臘海次克賴斯脫學校聽課。（註一四）

吳氏深知，欲吸收西方文明精華，非精通英文不可，是以特重英文之學習。初抵倫敦，即就金氏夫人習英文。吳習英文得力一「勤」字，整日坐屋內，認字記書，一日可認十餘字。讀一報，手字典

而口拼音。(註一五)其讀英文，不論讀音是否正確，亦不顧他人之譏笑鄙視，遇人卽問，是以得有長足之進步。(註一六)

一九〇五年春，孫中山先生造訪吳氏於倫敦寓所，此爲二人訂交之始。是年冬，吳氏卽加入同盟會。是年張靜江自巴黎至倫敦，初晤吳氏，遂邀吳赴法，吳氏旋赴巴黎，寓巴黎銅獅子區李煜瀛處，三人往返甚密。(註一七)

張靜江生於浙江，出身富豪。一九〇二年創立通運公司，經營中、法間之貿易。(註一八)李石曾出身河北官宦之家，其父爲清代名臣李鴻藻，李與張早於一九〇一年卽初識於北京；次年，李慕吳稚暉名赴滬訪吳於寓所；同年，與張二人均以隨員名義隨孫寶琦(駐法欽差大臣)赴法。抵法後，張研習商務，李研習農業、生物。(註一九)

吳氏於執教南洋公學期間，已對嚴復譯之「天演論」有所浸潤(註二〇)，留歐期間，適値歐美社會達爾文主義盛行之際，科學、進化論等學說，自必對其有相當之影響。於同一時期，復値西方無政府主義流行之際，李石曾抵法之年(一九〇二)，正爲克魯泡特金「互助論」出版之年。未及一年，吳亦達歐洲(註二一)，對國內現況之不滿，使兩人於接觸無政府主義之宣傳後，自然易受其影響。

而在此之先，張靜江因生意來往而結識一些法國知識分子及無政府主義者，接觸普魯東、巴古寧、克魯泡特金等人之議論，偶亦閱讀此類宣傳書刊，久之則思想銳進，言論特出，爲中國最早談無政府思想之人。(註二二)

無政府主義既對吳、李、張三人影響甚大，於此有必要將其思想及主要倡導者作一介紹。

據克魯泡特金爲無政府主義所下之定義：

一種主張社會不需要政府的原則或生活及行爲理論的名稱。獲取社會和諧的方法不是服從法律或順從任何權威，而是各個團體彼此自由協定，這些團體不論是以地域分或以職業分，都是爲生產及消費而生，也是爲滿足文明人類之各種需要與抱負而成。（註二三）

普魯東（Pierre Joseph Prondhon）爲首先提出「無政府主義」（Anarchism）名詞之人。出生於法國，於一八四〇年出版「何爲財產？」指出不勞而獲之財產，均爲贓物。普氏注重經濟問題，將任何政府均視爲亂花人民金錢之寄生蟲，認應以小型自由社會取而代之，人人均可在此行使自由意志，去贊同或反對影響個人生活之決定，並無政府官僚凌人，只有由生產者志願組成之協會，爲自己經濟福利而訂互惠協定。（註二四）普氏之無政府主義，並不提供烏托邦之最後憧憬，亦不信暴力革命爲通往天堂之路，只希望其經濟互助法，能助人類脫離自討苦吃之專制，經由一連串逐漸之進化，邁向更令人滿意之社會組織。（註二五）

普魯東於一八六五年去世，繼之而起者爲俄國之巴古寧（Mikhail Aleksondrovick Bakunin）與克魯泡特金（Kroptkin）。巴古寧（一八一四—一八七六）爲一軍人，強烈反對權威，以人類之自由爲其唯一眞神。爲此，要求所有未享特權之人立卽反抗。事實上，巴古寧深信，除武裝革命外，任何事均無所裨益。巴古寧相信，一旦政府被根除，而爲一科學自然法所領導之自由社會聯邦所取代時，人始能繁衍昌盛。於經濟方面，巴氏自稱為「集產無政府主義者」。大致言之，巴氏被認為乃一熱血行動較其思想更傑出之無政府領袖，一生之中，共參加五次革命，最後於流亡中去世。（註二六）

克魯泡特金王子（一八四二—一九二一），自幼受良好貴族教育，為一學者型人物。其所學使克氏與達爾文有所接觸。其與馬克斯一樣，接受達爾文進化理論，然復與此二人不同，因其不信進步僅有賴於適者生存、弱肉強食之競爭中；自他方面觀之，有鑒於蜜蜂、螞蟻合作之天性，使其相信，進化之基礎在於互助而非爭鬥。（註二七）克氏認為人類將漸漸進化，之後，人人將各盡所能，各取所需，所有剝削人之私人財產將會消失，人人經濟使用權可達平等，最後必會達到無政府主義之自由境界。（註二八）

這些無政府主義者所抱持之科學、人道、公理、追求自由、平等、打倒一切強權之理念，及人類將來必由進化而達世界大同之理想（註二九），深深吸引了吳、張、李三人，並成為其忠實信奉者，於是在多次聚會談論之後，三人於一九〇六年冬，成立「世界社」於巴黎達侯街二十五號（註三〇），並組織「中華印字局」於巴黎健康街八十三號，積極籌備發行畫刊。（註三一）

世界社成立，乃鑒於人類進化，有賴各組成分子均能貢獻同等心力，而非只靠少數秀異分子（Elite），欲達此目的，首須使教育普及，然而迴顧雄踞東亞，四萬萬人之中國，其狀況何如？

> 其中不識字者，居其大多數；少數識字者之中，僅能為應用之筆札，而不足以語於學問者，又居其大多數；少數學者之中，拘牽於古代煩瑣之哲學，摹擬之文辭，而不敢染指於新世界之學術者，又居其大多數；少數之致力於新學術者，求其蛻舊孳新，能與世界學術家比肩而為將來

文化之導師，則又大率謙讓而未遑也。夫吾族中教育之不平等，旣如是其複雜矣；而與他族相見，其相形而見絀也，又若此。……（註三二）

是以世界社之同人指出：

吾人誠自甘於淘汰則已，否則舍急起直追，參加於學術之林，寧有他道，同人就學異國，感觸較多，欲從各方面爲促進教育之準備，爰有世界社之組織。（註三三）

觀此，則知吳氏及世界社同人有感於中國處處不如人，乃思從普及教育著手，以使中國躋於列強之林，爰有「新世紀周刊」之出版。

第二節　鼓吹世界語

一九〇七年，吳稚暉在巴黎，與張人傑（靜江）、李煜瀛（石曾）三人，籌備「新世紀周刊」。先是，張靜江於一九〇六年三月回國時，便順路於新加坡購置印刷機，並挈一排字工人回巴黎，以備出版刊物。（註三四）至此，經討論後，吳氏遂起草發刊詞。（註三五）

一九〇七年六月二十二日，「新世紀」第一號創刊。每星期六出版，發行所設於巴黎侶僕街四號。吳氏於五月四日，便先遷居於發行所，主持社務，並負責編排。（註三六）

「新世紀」之西文標題，係以世界語爲之，卽 La Tempoj Novaj ，此與一八九五年於巴黎出版之無政府主義刊物 Les Temps Nouveaux 相較，令人一望卽知兩者頗有關聯。（註三七）此外，新世紀創刊之紀年用「新世紀七年」字樣，蓋指二十世紀爲新世紀，七年卽新世紀之第七年，亦卽一九〇七年之意也。並用陽曆月日，表示不再承認滿清。（註三八）

吳氏與李石曾二人在新世紀所作文章甚多，尤以吳氏爲最，其所用筆名爲燃、燃料、夷、敬恒、眞、希等；又用「留歐學界一分子」、「中國之一人」、「憑良心者」、「留此讀者」、「留英一客」、「無政府黨一人」、「革命黨的一分子」；又借用李石曾及其他人之筆名，不下五十種，以發表言論。（註三九）

新世紀於創刊號中，揭櫫其發刊之宗旨。有謂：「本報議論，皆憑公理與良心發揮，冀爲一種刻刻進化，日日更新之革命報……」（註四〇）又云：「本報純以世界爲主義，同人之意，以爲苟能發願，與世界種種之不平等者爲抵抗，一切自包其中……」。（註四一）本此精神，遂有排滿清、斥立憲、鼓吹中國革命、反傳統、反宗教、提倡世界語、主張社會革命等言論（註四二）；而其中提倡世界語之言論，絕大多數爲吳氏所執筆。

吳氏早於國內時，卽鑒於中國文盲之多，思有以救之，乃創製「豆芽字母」，使文盲之親友鄰人，藉之以互通音訊，無不稱便。後至日本，見其民智普及，反觀中國，「強童子讀深文」（註四三），未能實施普及教育，但注意於培養一、二人才。吳氏以爲，「使教育普施，而人才卽出」。（註四四）其於「蘇報案」發，出國之後，遂孜孜研究使漢字簡化之法，並作簡字稿（註四五），抄減筆字（註四六），常與人談製新字。（註四七）足見其時吳氏已體認漢字學習不易，而亟求一至簡至易至良之文字，取代漢字，以普及民智。此時適遇「萬國新語」（Esperanto）——世界語方流行於歐洲，吳氏一見，譽爲當今最良文字（註四八），而深心傾慕之。

萬國新語之發明人，爲一眼科醫生，名柴門霍夫（Dr. L. L. Zamenhof）。柴氏於一八五九年，生於俄屬波蘭，幼年身受亡國之痛，知種族間殘殺之慘，實由於語言之不統一，由是遂發倡造世界語之奇想，後柴氏入中學，遂篤志研讀希臘拉丁古文，及德、法、英、俄等國方言，大學卒業後，懸壺濟世，仍未放棄初衷，研究不懈。一八八七年，柴氏得友人之助，將其所著之萬國新語刊行於世。（註四九）

萬國新語，乃柴氏採歐洲各地方言，及希臘、拉丁文字爲字根，加以精密採擇，共二千六百四十二字根，再運用巧妙之接頭語與接尾語，使其字彙益形豐富而更能達意，復可自綴成語，卽以一語根與他語根相合成新字，簡單而容易使用。（註五〇）

萬國新語問世之初，流行不廣，蓋當時人拘於舊見，以爲文字不能由人特別創造，故問津者甚罕。自一八九七年以後，流行始漸廣，其進步幾有一日千里之勢。（註五一）一八九九年，法出版世界語雜誌，「世界語會」於歐洲各地相繼成立，世界語書籍亦相繼出版。（註五二）而吳氏在歐期間，正爲萬國新語勢力方盛之際，吳氏後記述其時所見云：

近十年中，我在巴黎倫敦一帶地方，止聽見「Esperanto」在那裏獨出風頭……自從一九〇五

年在巴黎，看它慢慢興旺起來，到了一九一五年我回國的一天，是只有一天熱鬧一天……。（註五三）

鑒於萬國新語之簡單易學，吳氏便有以萬國新語取代漢字之念，乃於新世紀週刊大力鼓吹。吳氏認爲：「世界語者，普傳公理之利器也，學之也易，成之也速，茍有人熱衷提倡，度無有不日增月盛者……」。（註五四）復指出萬國新語之優點及其未來之展望：

> 萬國新語根希臘拉丁之雅故，詳審參酌，始每字能刪各國之不同，以定其精當之一，故在方來之無窮，固未可謂莫能最良；若對于已往，自足稱爲文字之較善……方今科學上互換智識之誠心，款求人人能吸收全世界每日發明之新理，必徑必速，而討論如狂，故卽在此短時，必共知私家則以新語著書，學校則以新語教授，除去學界無窮之障礙。……止需各國校章，新語爲中學必備之課，入高等學校及大學所應修之外國語，皆代以新語，則圓滿之時至矣。而于是中國人方悟操一新語，則周遊世界，無往不得其交通之便利，脩學之良果，乃始珍視萬國新語。……（註五五）

「新世紀」於第六號（一九〇七年七月二十七日）首刊登一則「萬國新語」，介紹能萬國新語者與世界各國人暢談無阻之狀。復於第十號（一九〇七年八月二十四日）刊出「記萬國新語會」，係記敍萬國新語第三次大會於英劍橋（Cambridge）城中召開之盛況，計兩千餘人參加。由文中可知，其時以萬國新語書成之科學、工藝、文法、航海諸書，而專門字典，亦皆已用新語譯成。法國陸軍大臣，且許法兵學新語，故法兵之能新語者幾佔十之八九。（註五六）第三次大會最後，由新語發明人石門氏登台演說，略謂新語通行之後，各國便不致再有誤會之事。誤會之事既少，則戰爭之事可息，戰爭既息，則所謂大同之境界不難立致也。（註五七）此外，新世紀並於三十四、三十五、三十六號，連續介紹萬國新語之進步，六十二號並報導萬國新語第四次大會情況。（註五八）

「新世紀」第二十號中，一署名「眞」之作者，發表一篇「進化與革命」之文。（註五九）其中舉「文字進化與文字革命」爲進化與革命表證之一。文中斷言合聲之字（拼音字母）較象形表意之字爲良，故前者必取代後者，此之謂文字革命。復認爲進化者，革命也。從進化淘汰之例，惟良者存，故支那文字應革命。（註六〇）此文乃正式擎舉漢字革命之大旗，揭櫫以西文或萬國語取代漢字之主旨。此後，廢除漢字之主張，遂不斷見之於新世紀週刊。

新世紀第六十九號，刊有署名「蘇格蘭君」之來稿—「廢除漢文議」，開宗明義，首先卽言：

文字爲開智第一利器，守古爲支那第一病源，漢文最爲大多數支那人最篤信保守之物，故今日救支那之第一要策，在廢除漢文，若支那于二十年內能廢除漢文，則或爲全球大同人民之先進。（註六一）

吳稚暉於文中所附之「本報附按」中，深然其言，而認爲「能廢棄較野蠻之漢文，采用較文明之別種文，則于支那人之助力，定能銳增」。（註六二）；而其深以保國粹者橫加阻撓爲慮。蓋吳氏認爲，保國粹者懷疑，漢文一旦廢除，則「後生小子，將以其所不學，代其所學，而從此彼不復得人之敬禮」。

(註六三)此爲保國粹者一意反對廢除漢文之因。

此外，於「闢謬」一文中，吳氏指出，「當擲幾何之光陰，消幾多之精力，始克有……精通漢文之程度」。(註六四)復進一步說明：

昔時讀書二、三年者，恒不能求解，讀書四五年者，恒不能下筆……就令讀書十年矣，其漢文所造，果有若何之程度……果有若何之效用于社會耶？(註六五)

故漢文之難學難精，甚明矣！且夫卽便精通中國文學者，如若他國文字之不知，亦無所措手足於此一新世界。

吳氏有云：

(通中國文學者)躊躇滿志，遊刄于殘山剩水之支那，固廓然有餘地，及一旦出而與世界交通，亦能不悔學非所用乎？將仍搖筆弄舌自言自語以解嘲耶？夫宇宙間之事務，固無所庸其憎愛，惟當視利用之廣狹，以定取去耳。(註六六)

對於漢文之未能普及大衆，淪爲少數人之專利，吳氏指陳曰：

彼漢文者，家庭之文字(歷來通人皆受家學)，非社會之文字也。貴族之文字(讀書有得，非享中人之產者不能，自今以往益難問矣)，非平民之文字也。(註六七)

是故廢除漢文，採用新語，乃勢在必行。吳氏對新語傳播於國內之路線，已有其規劃藍圖：

支那之大川有三，其南數西江，其北數黃河，其流域並皆適於新語之傳播，姑勿具論。若僅就揚子江一區而言，則吾人之志願，方將以上海爲傳播之起點，歷兩岸各都會而直達漢口。復分爲三支：一支西南行，經宣昌、重慶而入蜀；一支西行，逆漢水而出陝甘；一支北行，循京漢鐵道而趨燕趙；務使十戶九曉，十人九知世界語，以速世界進步之弘運，以啓勞民自覺之良知。……要之吾人既以傳播新語爲天職之一，一息尚存，此志不敢稍懈。（註六八）

而新語推行之法，吳氏認爲有四：

一、先講求免於格格不入之起首辦法，如編譯新語華文對照之獨脩讀本，文法字典等，復詳細說明新語，以使人接受。

二、急求聯合大會，以爲擴大運動之辦法。

三、宣爲教育上之運動法，以求列於學校科目，徐收將來之效果。

四、對少數頑固分子，放棄要其學新語之打算。（註六九）

可見吳氏於新語之推行於中國，確抱極大之希望，不只有理想，且有入手方法，令人不得不佩服其思慮之詳密。

吳氏與「新世紀」同人，之所以主張採用世界語而廢除漢文，分析其基本心態有二：

一、爲無政府主義之大同世界觀。因「新世紀」諸人，均爲篤信無政府主義者，認爲將來世界必趨於大同世界，無強權政府之壓迫，亦無國家、種族之界線，此時當有一世界共通之語文，以代替目下各國歧異之語文。而萬國新語此時適盛行於歐洲，構造簡單，易曉易學，「新世紀」諸人，遂視其爲理想之世界共同語文，認爲「萬國新語」通行之後，世界諸國人士，將因語言隔閡消失而親如兄弟，永無戰爭，大同世界自可不求而致。

二、爲亟求中國儘速趕上歐西各國。近代中國於西方之衝擊下，政府之腐敗，人民之無識等缺點一一暴露，「新世紀」諸人，目睹而心爲之痛，於恨鐵不成鋼之心態下，遂對中國傳統產生全面否定之心理，中國傳統文化、風俗習慣被視爲野蠻落後，無補於時艱。彼等以爲，目下當務之急，在於全力吸收歐西新知，使中國於短期內趕上歐西，而「萬國新語」則爲彼輩視爲打開歐西知識寶庫之鑰。反觀漢文，適爲記載中國傳統一切思想文化之工具，自被視爲亟應淘汰之物。加以漢文有難習難精、不易普及、無補於吸收新知等缺點。自彼輩進化觀點視之，向以拼音文字爲最良，象形文字爲落後，是以廢除漢文之聲，高唱入雲。

第三節　吳、章之辯論

一九〇八年三月，一署名「前行君」之作者，撰寫一篇「編造中國新語凡例」，登於新世紀第四十號，提出其所造（脫胎自萬國新語）之「中國新語」，用以代替「不適於用，而遲早必廢」之中國文字（註七〇），從此展開漢字與世界語之論戰。維護漢字者以章炳麟爲首，支持世界語者以吳稚暉爲首。爲二十世紀初，有關漢字改革問題之首度大辯論，其影響之深遠自不待言。

前行君於文中提出其所創立「中國新語」，將漢字簡化為四種筆畫：平畫、直豎、斜弦、圓點。吳氏於此並不以為然，認為如一味局限平、直、斜、圓之筆畫，反更增拘限（註七一）；於是主張中國文字可為暫時之改良：

一、限制字數，凡較僻之字，皆棄而不用。

二、手寫之字，皆用行草。（註七二）

然吳氏於前行君所提，編字典、創月報之運動法十分贊同（註七三），此後亦成為吳氏推行運動主張之一。

吳氏雖不能苟同前行君之「中國新語」，然亦認為中國須有統一之語言，亦即「能合各省之語言，代表一種之語言，始足稱為『中國新語』（註七四）」，此為吳氏對統一語言之最早概念。

一九〇八年三月至五月，新世紀週刊連續刊登數篇鼓吹「萬國新語」之文，觸怒一位國粹派學者─章炳麟。遂於民報二十一號（一九〇八年六月十日出版），撰寫「駁中國用萬國新語說」一文以駁新世紀。其主張係基於保存中國文化之立場，頗堪為反對「萬國新語」意見之代表。

章氏首針對倡世界語者常用之說法─「習萬國新語可以普及民智」─以駁之。其言曰：「國人徧知文字與否，在強迫教育之有無，不在象形合音（拼音）之分也」（註七五），並舉例說明：

今者南至馬來，北抵蒙古，文字亦悉以合音成體，彼其文化豈有優於中國哉？合音之字，視而可識者，徒識其音，固不能知其義……日本人既識假名，亦並粗知漢字，漢字象形，日本人識

之，不以爲奇恒難了。（註七六）

是以其認爲，一國教育水準之高低，不在於使用象形抑拼音文字之別，而在於是否施行強迫教育，

章氏於此論之甚詳：

庶業滋繁，飾僞萌生，人不知書，則常苦爲人所詐……（百業）皆十口相傳，不在載籍，當其習此，以爲文字非所急圖，出而涉世，乃自悔其失學，書札、契券、計簿之微，猶待他人爲之營治。欺詐不可以猝曉，隱曲不可以自藏，斯亦爽然自咎也。若豫覩知書之急，誰不督促子弟以就學者，重以強迫教育，何患漢字之難知乎？（註七七）

章氏既否認中國象形文字較西方拼音文字爲劣，自不贊成廢漢字而行萬國新語。認爲各國國情不同，不必強使就一，復指出逕用萬國新語，其謬有二：

一、若欲統一語言，故盡用新語者，因漢文與西文性質本殊，強爲轉變，必不能夠，其云：

其在漢土，排列先後之異，紐母繁簡之殊，韵部多寡之分，器物有無之別，兩相逕庭，此其犖大者。強爲轉變，欲其調達如簧，固不能矣，乃夫丘里之言，偏冒衆有，人情互異，雖欲轉變無由。……中國「道」字，他方任用何文，皆不能譯。……漢土篇章之美者，譯爲歐文，轉爲萬國新語，其率直鮮味也亦然。……若徒以交通爲務，舊所承用，一切芟除，學術文辭之章章者，甚則棄捐，輕乃裁減，斯則其道大觳，非宜民之事也。（註七八）

二、若謂象形不便，故但用其音者。因漢語與新語，其音韵繁簡相去甚遠，一旦改轍，則大多數漢

語，新語皆不能具也。其言曰：

> 言語文字者，所以爲別，聲繁則易別而爲優，聲簡則難別而爲劣。……今之韵部，著于脣舌者慮不能如舊韵之分明，然大較猶得二十，計紐及韵可得五十餘字，其視萬國新語以二十八字母含孕諸聲音，繁簡相去，至懸遠也。（註七九）

章氏於漢字改用拼音之弊，指出兩點，一爲同音異義之字，將易混淆而難以爲別。一爲中國方言衆多，互不相通，本靠文字交通，文字改用拼音之後，則更無法互通。其有云：

> 漢字所以獨用象形，不用合音者，慮亦有故。原其名言、符號，皆以一音成立，故音同義殊者衆，若用合音之字，將芒昧不足以爲別。況以地域廣袤而令方土異者，合音爲文，逾千里則弗能相喻，故非獨佗（他）方字母不可用於域中，雖自取其紐韻之文，省減點畫，以相絣（拼）切，其道猶困而難施。（註八〇）

此外，有鑒於漢文之深密難曉，章氏提出補救之法，其法有二：一爲欲使速於疏（書）寫，則人人當兼知章草，一爲若欲易于察識，則當略知小篆。（註八一）蓋草書筆畫甚簡，欲求書寫之速，首推草書，其書寫時間，較歐文數音成一字者更短。而篆文爲漢字之初文，可視而見其義，其後字體愈演愈繁，遂大失原義，是以欲易于察識，應略知小篆。

章氏認爲，若用新語，則舊有典籍，更添隔閡（註八二），而中西國情不同，驟引進之，未可以求諸也。若以漢文難，而轉習新語，然反使國人本不識新語者更不易學。（註八三）因是提出其所定紐文三十六，韵文二十二，皆取古文篆籀徑省之形，以此可盡拼漢文之音。（註八四）然其主張「切音之用，只在箋識字端，令本音畫然可曉，非廢本字而以切音代之」（註八五），確定「以切音字輔助漢文，而非取代漢文」之宗旨。

章氏文章發表後一個半月，吳氏卽於「新世紀」第五十七號發表「書駁中國用萬國新語說後」，作爲對章氏之答覆。

吳氏以爲，語言既爲人與人相互交通之具，故不應任其因地而不同，應以人力加以齊一（註八六），此齊一之法，卽實施萬國新語。以此爲出發點，遂抱世界一家之觀點，並以科學、進化之理爲言，以斥章氏之文。

自世界一家之觀點出發，吳氏認爲，語言文字通行範圍愈狹，卽文字之職務愈不完全，如章氏自拘於漢文之內爲言，是以不相干之種族情感，談論學理，妨害世界人類之相互交通。（註八七）是以，中國異日若有新發明，爲求便於外國學習，不以中文之難習爲梗，亦須及早採用至良之萬國新語。（註八八）

以科學進化之觀點言，吳氏認爲中國古文字，亟應淘汰，送入博物館，只供考古之研究。（註八九）。而中文排印機械之製造，求其簡易而不可得，是以種種世界最新之學問，皆爲之阻塞而不能習（註九〇），自須將此違反進化潮流之語文淘汰。

於章氏所提中文不得改用萬國新語之由，吳氏一一指駁。如章氏慮萬國新語，不足以名中國之名物，吳氏詰以「不知中國有如何特別之名物，爲他國所窮于指名？如其物而爲不適于世界所用者，……固無所謂可與不可」。（註九一）又如「道」字，未來科學進步，能精密分析其定義，必有一適當專名可譯（註九二），可毋須顧慮。至於章氏所言漢文篇章之美，如轉譯新語，必大失原味；吳氏答以日後之進步，萬國新語之著作，必多姸麗悽愴之篇章，勿孜孜只以落伍之漢文爲念。（註九三）

然吳氏經章氏之辯駁，亦知以「中國人之智識程度，一躍即能採用萬國新語，我輩日望之，亦未敢取必」。（註九四）既實行萬國新語之時機未到，吳氏遂主張採三段漸進之法，以爲迂迴之進行：

一、以音字附於漢字之旁，以爲輔助。

二、講求世界新學，須進一步通一、二種外國文。

三、最後實行之時機已至，遂廢漢文，而用萬國新語。（註九五）

自本文觀之，吳氏除針對章氏論點反駁外，最重要者，吳氏關於語文亟應統一及附切音字以輔助漢字之主張已確立（註九六），其言曰：

> 中國文字，本統一也，而語言則必有一種適宜之音字，附屬于舊有之文字以爲用，于是聲音亦不得不齊一，有如日本之以東京語，齊一通國也。……蓋文字有二職：一爲誌別，一爲記音。中國文字誌別之功用本完，所少者記音之一事。……最要者，當先刊字典一册，即如日本所繙印之中國字典，字附音訓于其旁，凡小學讀本及通俗之書報，莫不如上文所云，增附切音字之音訓，至最粗淺之幼稚園讀本等，則以音訓之切音字大書，而以舊文字爲蠅頭細書，注之于旁，

所謂規圈之屬。既音訓不與舊文字相離，則等與聲，皆有舊文字表而出之。（註九七）

由此文可以得知，吳氏雖仍以萬國新語爲其最後標的，然以其時中國人之程度太過懸殊，尙無法實施，是以提出將音字附於漢字之旁，此確爲務實作法，亦爲吳氏將理想與現實作適度調合，而產生注音字母與漢字結合之構想。雖章氏亦有此構想，而吳氏並不苟同章氏之採篆籀爲音字，而主以今隸爲之（註九八），此爲雙方之所異也。

吳氏之文發表後，章氏不甘示弱，亦於民報二十四號（一九〇八年十月）發表「規新世紀」。於此文中，章氏仍其一貫，以民族大義相詰，責「新世紀」諸人「欲以中國爲遠西藩地者久，則欲絕其文字，杜其語言，令歷史不燔燒而自我斷滅」。（註九九）此外，並就漢字與西文於印刷檢字上之比較，中西文音韻、詞彙之詳略，新語適用之時機，科學之理可否用於文字等問題一一討論（註一〇〇），大多數仍重覆「駁中國用萬國新語」一文之觀點，茲不贅述。而「民報」於發行二十四期後，即爲日政府查封（註一〇一），章、吳論戰因而中斷。

大體觀之，章氏係以國粹派立場反對萬國新語。其所提出之質疑亦不無道理；最重要者，乃爲其於論戰中，提出其所採篆文省體而定之紐文（聲符）三十六，韻文（韻符）二十二，後民初讀音統一會所採之字母中，卽有十五子爲章氏所創。（註一〇二）

章、吳二人，於當時流行中國之切音簡字，均有所批評。吳氏評曰：「今日所謂簡字切音字等，忘其苟簡之術，不足爲別于文字之間，故離文字而獨立，歆于作蒼頡第二，遂失信用于社會」。（註一〇三)章氏亦言：「近聞仁和勞乃宣，方造簡字，……若其直代正文，自以爲新蒼頡，或所定紐韻奇觚非法殉用而不求是……當戾其舌櫪其指而已」。(註一〇四)由此可知，兩人雖彼此相互攻詰，而其觀點實有部分相同之處。

吳氏素主施行萬國新語，而於此一論戰中，面臨章氏凌厲之攻擊，退而深思，體認萬國新語施行時機未至。爲今之計，則在爲漢字立一輔助音字，此後其思路遂集中於如何訂定官音，釐定音字，如何推廣……，遂有「書神州日報東學西漸篇後」一文之發表，而民初讀音統一會之理論於焉奠定。

唯吳氏仍視漢字「爲暫時所應用之物，卽當在教育上，先置于附屬品中，俟新文字代用之勢既盛，便可消滅其蹤跡」(註一〇五)，是其仍未放棄日後實施新語之希望也。

綜觀之，章、吳之語文辯論，實爲中國國語運動史上重要之大事，雖其結果並未對漢字之存廢有若何影響，然於辯論之中，各予對方以反面之刺激。章氏雖一意維護漢字，然其亦體認現行漢字之繁難，一方面製作紐文、韻文以輔漢字，一方面提倡習章草、小篆以使漢文易學習知。而吳氏亦調整其觀點，轉而求以音字輔助漢字，是所謂殊途同歸者。而其結果，章氏之紐文、韻文及吳氏訂定官音，統一語言之構想，竟對民初之讀音統一會造成巨大影響，此爲辯論之初，雙方所始料未及者。

【附註】

註　一　洪德先，辛亥革命前的世界社及無政府主義思想，食貨復刊十三卷，二期，頁六六。
註　二　吳稚暉，回憶蔣竹莊先生，頁二一。
註　三　吳少芬，吳稚暉的教育思想，政大教育研究所，七十一年碩士論文，頁二一。
註　四　同註二，頁二二。
註　五　同註二，頁二三—四；一見李書華撰，吳稚暉先生從維新派成爲革命黨的經過，傳記文學，四卷三期，頁三五。
註　六　同註二，頁二四、二六。
註　七　呂芳上，吳敬恒，收於王壽南主編，中國歷代思想家，册四九（台灣商務印書館，六八年三月二版），頁七，總頁五六二七；一見陳編吳年譜，頁二一。
註　八　陳編吳年譜，頁二三。
註　九　馮自由，中國教育會與愛國學社，馮著革命逸史，頁一七〇—一。
註一〇　陳編吳年譜，頁二四—八。
註一一　同註一〇，頁二八。
註一二　吳稚暉，致某君函，吳全集卷十七，頁五五一。
註一三　吳稚暉，致某函，吳全集卷十七，頁五四四。
註一四　陳編吳年譜，頁二八—九。

註一五　吳全集卷十七，頁五七六。

註一六　陳編吳年譜，頁二八。

註一七　同註一六，頁三〇；又見呂芳上著，吳敬恒，頁一二，總頁五六三二。

註一八　張素貞，毀家憂國一奇人—張人傑傳（台北，近代中國出版社，七十年五月二十五日初版，頁一—三。

註一九　同註一八，頁三—四；一見楊愷齡，民國李石曾先生煜瀛年譜（台灣商務印書館，六九年五月初版），頁六、一四、一五、一八；一見Robert·A· Scalapino and George·T·Yu, The Chinese Anarchist Movement，Berkeley, California, Feb· 10,1961·pp· 2-3。

註二〇　吳稚暉，群智會記事，黨史會編，吳稚暉先生墨蹟，釋文，頁一四。

註二一　呂芳上，吳敬恒，頁一四，總頁五六三四；一見 Michael Gasster, Chinese Intellectuals and the Revolution of 1911, 1969 by the Uni of Washington Press·pp 162·。

註二二　張素貞，毀家憂國一奇人—張人傑傳，頁七。

註二三　James D· Forman原著，吳連明譯，近代主義透視（台北，龍田出版社，七十年十一月再版），頁一三五。

註二四　同註二三，頁一五一—二。

註二五　同註二三，頁一五二。

註二六　同註二三，頁一六一—三。

註二七　同註二三，頁一六三—五，；見 Michael Gasster, Chinese Intellectuals and the Revolution of 1911・pp 160・

註二八　同註二三，頁一六六—七。

註二九　Robert・A Scalapino and George T・Yu, The Chinese Anarchist Movement pp 15; Michael Gasster, Chinese Intelectuals and the Revolution of 1911・pp 158 — 159。

註三〇　楊編吳年譜，頁三三—四。

註三一　同註三〇。

註三二　李石曾，與吳稚暉等發起世界社之意趣及簡章，收入黨史會編，李石曾先生文集（台北，黨史會，六九年五月二九日出版），頁二一七—八。

註三三　同註三二，頁二一八。

註三四　Robert・A・Scalapino and George・T・Yu Chinese Anarchist Movement・pp 5・

註三五　吳稚暉，民國前五年日記，六月十五日、十六日，吳全集卷十二，頁一〇五九。

註三六　陳編吳年譜，頁三一。

註三七　同註三四，頁六。

註三八　同註三六。

註三九　同註三六。

註四〇　新世紀發刊之趣意，新世紀週刊（巴黎，一九〇七年六月二十二日至一九一〇年五月二十一日，共出一百二十一號，巴黎新世紀社出版，上海世界社三十六年五月重印），第一號，頁一。

註四一　同註四〇。

註四二　安嘉芳，新世紀始末及其言論分析（文化大學歷史所碩士論文，六十六年七月），目錄。

註四三　吳稚暉，民國前十一年日記，十月十九日，吳全集，卷十二，頁六八九。

註四四　同註四三，一月七日，頁六六四。

註四五　吳稚暉，民國前六年日記，十一月十、十一、十二、十九日，十二月十、十九、二一、二四日，吳全集，卷十二，頁一〇〇五、一〇〇七、一〇〇九、一〇一二、一〇一四、一〇一五、一〇一六。

註四六　吳稚暉，自蘇報案至赴歐日記，一九〇三年八月十一日，吳全集，卷十二，頁七二六。

註四七　同註四六，一九〇三年七月二十九日，頁七一九；又見同書，民國前六年日記，十一月二十五日，頁一〇〇九。

註四八　吳稚暉，書駁中國用萬國新語說後，新世紀，第五十七號，頁一三；一見吳全集，卷五，頁四〇。

註四九　韓文蔚，世界語概要（台北，救國團贊助出版，四九年五月初版），頁四；一見胡學愚，世界語發達之現勢，東方雜誌，十四卷一號（六年一月十五日），頁六—七；一見凌霜，世界語問題，陳獨秀主編，新青年雜誌（上海，群益書社印行，東京汲古書院，一九七〇—一年，原刊本影印），六卷二號（八年二月十五日），頁二〇〇；一見醒來稿，萬國新語之進步，第三十四號（一九〇八年二月十五日），頁三。

註五〇　凌霜，世界語問題，新青年六卷二號，頁二〇〇；一見韓文蔚著，世界語概要，頁二二。

註五一　醒來稿，萬國新語之進步，新世紀第三十四號，頁三。

註五二　韓文蔚，世界語概要，頁一七。

註五三　吳稚暉，補救中國文字之方法若何，新青年五卷五號，頁五五二；一見吳全集，卷五，頁一六七。

註五四　上海沐君（吳稚暉），謬謬，新世紀，一百拾玖號，頁一五；一見吳全集，卷五，頁七〇。

註五五　燃料（吳稚暉），書駁中國用萬國新語說後，新世紀，第五十七號，頁一三；一見吳全集，卷五，頁四〇。
註五六　新世紀，第十號，頁二。
註五七　同註五六。
註五八　新世紀，第三十四號，頁三，第三十五號，頁四，第三十六號，頁一—二，第六十二號，頁七。
註五九　此篇吳稚暉先生全集及李石曾先生文集均選入，不知究爲誰之作品，而「眞」爲李石曾之筆名，然吳氏亦常借用李之筆名發表作品，而觀此文文筆，似爲吳氏所作。
註六〇　眞，進化與革命，新世紀，第二十號，頁一。
註六一　新世紀，第六十九號，頁一一。
註六二　同註六一。
註六三　同註六一。
註六四　新世紀，第一一八號，頁一二；一見吳全集，卷五，頁六七。
註六五　同註六四。
註六六　同註六四。
註六七　闢謬，新世紀，第一一九號，頁一五；一見吳全集，卷五，頁七一。
註六八　闢謬，新世紀，第一一八號，頁一三；一見吳全集，卷五，頁六八。
註六九　新語問題之雜答，新世紀，第四十四號，頁三，第四十五號，頁二、三；一見吳全集，卷二，頁四—八。

註七〇　前行君，編造中國新語凡例，燃附注，見新世紀，第四〇號，頁三；又見吳全集，卷五，頁三二。

註七一　同前文，新世紀，第四〇號，頁四；又見吳全集，卷五，頁三七。

註七二　同前文，新世紀，第四〇號，頁四；又見吳全集，卷五，頁三七。

註七三　同前文，新世紀，第四〇號，頁四；又見吳全集，卷五，頁三八。

註七四　同註七三。

註七五　章太炎，駁中國用萬國新語說，民報（台北，黨史會，五八年六月一日影印初版），第二十一號，頁五〇，總頁三三四二。

註七六　同註七五。

註七七　同上文，民報，第二十一號，頁五〇—一，總頁三三四二—三。

註七八　同上文，頁五六，總頁三三四八。

註七九　同上文，頁五六—七，總頁三三四八—九。

註八〇　同上文，頁五九，總頁三三五一。

註八一　同上文，頁五九、六〇，總頁三三五一—二。

註八二　同上文，頁七〇，總頁三三六二。

註八三　同上文，頁七一，總頁三三六三。

註八四　同上文，頁六二—八，總頁三三五四—六〇。
註八五　同上文，頁六二，總頁三三五四。
註八六　吳稚暉，書駁中國用萬國新語說後，新世紀，第五十七號，頁一一。
註八七　同註八六，頁一一—二。
註八八　同註八六，頁一四。
註八九　同註八六，頁一三。
註九〇　同註八八。
註九一　同註八八。
註九二　同註八八。
註九三　同註八八，頁一五。
註九四　同註八六，頁一二。
註九五　同註八六，頁一二—三。
註九六　梁容若，關於吳稚暉先生的著作與傳記，收於吳稚暉八七壽誕紀念特刊—吳稚暉先生的生平（台灣省國語推行委員會編印，四十年四月），頁六八。
註九七　同註八六，頁一二。
註九八　同註九七。

註九九　章炳麟，規新世紀，民報，第二十四號，頁五〇，總頁三七九六。

註一〇〇　同註九九，頁四九—六三，總頁三七九五—三八〇九。

註一〇一　章炳麟，民國章太炎先生炳麟自訂年譜（台灣商務印書館，六十九年七月初版，頁一三；一見張玉法，清季的革命團體（台北，中研院近史所，七十一年八月再版），頁三八六。

註一〇二　黎著史綱，頁五六；另見柳明奎，中國國語運動發展史（中央圖書館藏，師大國文所碩士論文，五十年六月），頁二三。

註一〇三　同註九七。

註一〇四　同註九九，頁六五，總頁三八一一。

註一〇五　蘇格蘭君來稿，廢漢文議，新世紀，第七十一號，頁一五。

第三章　主持讀音統一會

第一節　讀音統一會之醞釀

壹　清末簡字運動之推動與官方之努力

清末簡字運動（一九〇〇—一九一一），上承切音運動之餘緒，下開民國國語運動之先河。其代表人物有盧戇章、王照、勞乃宣、章炳麟（註一），所創作音字爲趨向本土化之簡字或漢字偏旁。本期與切音運動時期不同之處，即前者已改變私家傳習爲主之法，改從運動政府處著手。

盧戇章之切音新字，於戊戌年（一八九八）由其同鄉京官林輅存以「字學繁難，請用切音以便學問」爲由，呈請都察院代奏，其中有云：

……敢請我皇上飭下各該省督撫、學政，傳令盧戇章等，並其所著字書，咨送來京；由管學大臣選派精於字學者數員，及編譯局詢問而考驗之，較其短長，定爲切音新字，進呈御覽，察奪頒行。（註二）

此爲國語運動史上首次企圖藉政府力量將音字頒行國中者。改旋以變亂頻仍，事遂中寢，後盧氏以其所採羅馬字切音，形體怪僻，不中不西，遂廢棄舊制，改用漢字偏旁簡筆之切音，於一九〇六年進呈外務部。其時學部已將其音字咨送譯學館，然爲譯學館文典處所批駁（註三），其中有云：

……夫漢字爲我國國粹之源泉，一切文物之根本；……豈可反行廢棄，特以字形繁重，施諸初等教育，實有勞而少功、博而寡要之患，故仿照國書及泰西諸國文字成例，別製切音字一種，以與固有之象形字相輔而行，亦今日不得已之舉也。（註四）

是此時官方亦覺漢字繁難，而欲以切音字輔之。惟其時學部，仍以爲切音字聲母，應以三十六字母爲準，又須按四呼、四收法，參酌韵書以爲標準韻母（註五），仍不脫舊聲韻學之拘牽，是以便以：一、聲母不完全二、韻母無入聲三、寫法乖謬數端批駁。（註六）

繼盧氏而起者有王照。王照字小航，河北寧河縣人，甲午年進士，戊戌政變時以得罪舊黨獲罪，出亡日本。一九〇〇年潛行返國，是年冬，以「蘆中窮士」之化名，刊行所著「官話合聲字母」於天津。（註七）

此字母共六十二個，其中聲母五十，名爲「字母」。韵母十二，名爲「喉音」。乃採漢字之一部分爲字母，同日本片假名一般。如現行注音符號之「ㄆ」，王氏作「才」，卽取「撲」之偏旁，注音符號之「ㄨ」，王氏作「五」，卽取「五」之下部。其合聲卽將字母與喉音雙拼，然極反對三拼法，以爲不便平民學習。（註八）。

王氏之官話字母，除嚴修首先爲其提倡宣傳外，桐城派古文老將吳汝綸且上書學部大臣張百熙爲之極力宣揚。張氏亦極贊成，於一九〇三年聯合榮慶、張之洞等奏定學堂章程，學務綱要中即有一項「各學堂皆學官音」，其中有云：「自師範以及高等小學堂，均於國文一科內，附入官話一門」。（註九）。此外，北洋大臣袁世凱於直隸、天津、保定等處設立大規模簡字學堂傳習官話字母，北方傳播極廣，達十三省之多（註一〇），王氏發行之「拼音官話報」亦行銷六萬份。（註一一）宣統初，袁氏下臺，官話報被封，官話字母亦被禁止傳習，幸有勞乃宣之簡字繼起代之。

勞乃宣，號玉初，浙江桐鄉人。以王照字母一主京音，於南音頗有未備，因修改王氏字母，定名爲合聲簡字。（註一二）一九〇七年出版「簡字全譜」，含京音譜、寧音譜、吳音譜、閩廣音譜等，包括全國各地方言，勞氏之簡字於江浙流行甚廣。兩江總督周馥設立簡字學堂，即以勞氏寧音譜爲教本。（註一三）

勞氏於一九〇八年獲慈禧召見，並恭繕一部「簡字譜錄」呈覽，請旨頒行天下，旨下「學部議奏」，惟學部竟不議不奏。（註一四）勞氏之簡字，後得資政院議員江謙、嚴復爲其護法，其時清廷預備立憲分年籌備事宜，學部清單中列有國語教育事項五條，其中重要者爲：「宣統八年，檢定教員須考問『官話』，師範、中學、高小各項考試均加『官話』一科」。（註一五）江謙即於資政院質問學部：「此項官話課本，是否主用合聲字拼合國語？」此項質問，有議員三十二人連署，同時有畿輔、江南、四川各地學界及京官等，聯合向資政院請願頒行，並推廣官話簡字。院中遂推嚴復從事審查，審查結果爲：一、謀國語教育，則不得不添造音標文字。二、將「簡字」正名爲音標，由學部審擇修訂，奏請欽定頒行。三、音標用法有二：(1)拼合國語，以開中流以下三萬九千萬不識字者之民智，而合藏、蒙、準、回二千萬里異語民族之感情。(2)範正漢字讀音，學校課本每課生字亦須旁注音標。（註一六）

資政院大多數贊成通過，而學部多未會奏。至一九一一年六月，學部方召集中央教育會議於北京，將王劭廉等提議之國語統一辦法案，於八月十日第十六次會議，多次研議後通過。（註一七）惟以十月武昌起義，未幾清祚告終，此事亦無疾而終。

貳　清末國語統一思想之形成

近代中國屢受列強欺凌，於是民族主義之思想躍躍然起，成爲「近代中國最普遍與最重要的意識形態」（註一八），許多政治、經濟、文化上之運動，均以其爲原動力。王爾敏先生亦指出，國語一詞，實啓導於民族主義思想（註一九），此一名詞出現於近代，最早當在一九〇三年，京師大學堂學生何鳳華等六人，上書北洋大臣直隸總督袁世凱，其呈文主旨有謂：「請奏明頒行官話字母，設普通國語學科，以開民智而救大局」。（註二〇）

「國語統一」一詞之連屬，見於一九〇六年朱文熊所著之「江蘇新字母」自序：「……他日國語統一之目的能達」。（註二一）而最早具國語統一觀念者，則需上溯至清中葉之龔定盦（一七九四—一八四一）；其欲搜羅中國十八省方言及滿洲、高麗、琉球、蒙古喀爾喀等語，彙集一書，以貫通全國之音，其於「擬上今方言表」一文中曾云：

言有自南而北東西者，有自北而南而東西者，孫曾播遷，混混以成，苟有端緒可以尋究；雖謝神瞽，不敢不聽也。旁採字母翻切之旨，欲撮舉一言，可以一行省音貫十八省音，可以納十八省音於一省也……。（註二二）

足見其時龔氏已了然於方言紛歧之故，而有以一省之音統一全國語言之念。

其次爲晚清吳汝綸氏，其於致管學大臣張百熙一書中有言：

近天津有省筆字書（王照之字母書）自編修嚴範孫家傳出，其法用支微魚虞等字爲母，益以喉音字十五字母四十九，皆損筆寫之，略如日本之假名字，婦孺學之兼旬，卽能自拼字畫，彼此通書。此音盡是京城聲口，尤可使天下語音一律……（註二三）

吳氏之主張，卽以京音統一國語。

王照欲以其音字普及民智，進而使「朝野一體」（註二四），然其尚未標出統一國語之宗旨，勞乃宣則一方以音字普及教育以爲立憲基礎，一方則提出言語統一之觀念：

閒與二三知己私相討論，咸謂必合五音母韻統爲全譜。使中國同文之域，諸方之音，舉括於內，乃足爲推行全國之權輿。不揣固陋，以向所考定等韻爲本，訂爲簡字全譜一編，以質於世。於教育普及之方，言語統一之道，或不無小補云爾。（註二五）

然勞氏並不主張逕習京音，而主「先各習本地方音，以期易解，次通習京音，以期統一」。（註二六）

此外，學務大臣張百熙及張之洞等，於奏定學堂章程之學務綱要第二十四條——「各學堂皆學官音」有云：

各國言語，全國皆歸一致，故同國之人，其情易洽，實由小學堂教字母拼音始。中國民間，各操土音，致一省之人，彼此不通言語，辦事動多扞格，茲擬以官音統一天下之語言，故自師範以及高等小學堂，均於中國文一科內，附入官話一門……將來各省學堂教員，凡授科學，皆以官音講解，雖不能遽如生長京師者之圓熟，但必須讀字清眞，音韻朗暢。（註二七）

可知官方此時已注意及官音（國語）統一問題。

光、宣之際，國語統一之呼聲愈來愈高，已非部分反對者所能遏阻。如資政院議員江謙等三十二人聯名向學部質詢之說帖，卽針對學部之推諉塞責深致不滿，其云：「毋使人謂學部空言普及教育，統一國語，區區國語教育之消息而不之知，而儼然握全國最高教育機關也！（註二八）

在此國語統一思潮之激盪下，於一九一一年四月二十九日，召開之各省教育總會聯合會議，遂順應民情，通過「統一國語方法案」，主張「利用簡字，改稱音標，將音標附注字旁，作爲矯正土音之用」（註二九），並「以京音爲標準音，以順直流行之簡字爲音標」（註三〇），呈請學部施行。終造成該年八月，學部召開之中央教育會議，通過「國語統一辦法案」。

叁　吳氏於議定官音之設計

一九〇九年三月，吳氏於「新世紀」發表一篇重要著作—「書神洲日報東學西漸篇後」。此文中對於如何補救漢字缺點之構想已趨成熟，雖則其認爲漢字缺點甚多，遲早必廢，然於今日，預先補救其缺點，以供暫時之應用，其云：

漢字既不足以字母拼切，而其舊有之狀，又可別不可名（不可名，猶云不識之字，無從就狀而得其讀音也），將用何法以爲改良？應之曰：漢字者，爲早晚必行廢斥之一物。若在短時之間，因大多數人方恃之爲交通宣意之符號，而必苟且承用，則如不適用之廢屋然，短時之間，不能不藉之以蔽風雨，惟有用最廉價之方法，稍事修繕，使風雨不侵而後止；萬不值得費如何經營之苦心，化如何拆卸之高價，出重造之價值，仍得一不適用之建築也。（註三一）

由是可知，吳氏認爲不須耗許多花費，只須苟且修繕卽可，其又云：

苟且修繕之法，最妙者，莫如舊少讀音，卽於初學之書册上，附加讀音，加之之法，最省便者，又莫如學日本通俗書然，漢字大書，讀音旁注……（註三二）

而此種附加之拼音字母，吳氏屬意於王照之簡字：

……與音母之音同者，卽以一母注之，音母中無此音者，卽以兩母切之，必不用及三母，爲道彌簡，而利便初學者亦彌多，大約遍切中國之官音，有母五十，可以足用。曩年曾略見王照氏

之舊作（大約卽今之簡字），正有此數，……簡字既已通行於數處，卽用簡字之母，大爲省事。（註三三）

吳氏此文最重要者，卽對議定官音，公布字典以普及學校之法，有十分詳明之規定：

附注字典，其道甚簡，如稍鄭重其事，在北京或上海，亦復不難，特設一三個月之短會，延十八省所謂能談中國「之乎者也」之名士，每省數人，每天到會半日，書記將字典揭開，唱曰「一」，候大家議定，官音當注何音。又唱曰「丁」，又候大家議定，當注何音。每日注三、四百字，有如「庭」音既定，則「廷亭停」可不復多議，故三月必可訖事。決議之際，苟無十死不通之經學大師在內，不將古音等橫插無謂之問題，似解決亦無所難。字典既就，卽任人翻刻，但勸刊刻小學讀本者，照字典各注讀音，否則亦可由教師在黑板上寫出注之。……及考試之際，必令默注若干字，作爲功課分數之一種……二十年後，其功效遂不可思議。（註三四）

其功效如下：

一、止需編刻漢語課本，而注之以簡字，則二十年中，中國學校之官音可齊一。

二、所謂注音字母，附於文字時，則當一讀音之功用；取而獨立，又可爲不識字人之識字工具。

三、讀音既注於字典，復普及於學校，則知之者稍多，於是一切應當順序查檢之字，尙用偏旁太繁，用韻母亦不易檢尋者，卽可如日本之用伊呂波，而以音母爲順序，此實適用之處甚多，非可小視之也。（註三五）

總之，吳氏此時對國語運動之主張，已粗具規模，尤其議定官音之設計，已儼然成爲民初讀音統一會之雛形方案，而於民國九年公布字典，小學教科書附注音等措施，亦均照吳氏之主張實施，其首創之注音檢字法，至今尚爲大衆查檢字典最普遍之方法。

第二節　受命與籌備

一九〇五年，吳氏在倫敦時，便與孫中山先生訂交，從此成爲中山先生事業上之得力助手。一九〇七年，章炳麟與中山先生發生齟齬，便誣指中山先生私呑革命經費，影響海外人心甚鉅，吳氏此時挺身而出，於新世紀撰文爲中山先生辯護，力闢讕言，中山先生深爲感激。（註三六）

我國文字雖然統一，但因讀音不一致，造成各地方言歧異。民國成立之時，國語尚未統一，長江以北各省情況尚好，東南沿海一帶語言最分歧。中山先生有一次說：「汕頭與廣州雖同屬於廣東省，但因讀音不同，兩地人民在海外經商者，有時反藉英語以交談。」（註三七）故統一國語極有必要，吳氏以注音字母統一讀音工作，便是應此種需要而興起。

一九一一年十月，武昌起義，中山先生從美至英從事外交活動，以阻止英政府借款清廷，於倫敦晤吳氏，囑其約石瑛同行返國，以參加未來新中國之建設。吳氏每日至中山先生居處，與李曉生共同處理中山先生之往來函電，因之，此段期間內，中山先生之文稿大多出諸吳氏手筆。（註三八）

一九一一年十一月二十二日，吳氏與石瑛啓程返國，次年（民國元年）正月初一抵上海，寓文明書局樓上。元月四日，吳氏偕石瑛赴南京晉謁中山先生，在總統府與中山先生同室臥起者，凡四日。（註三九）。

自目前可見之文獻中，尋不到中山先生予吳氏敦請其主持推行國語運動以普及國民教育之任何指示，且此項運動之發萌，遠在中山先生去職臨時大總統之後，然據曾接近吳氏者云：中山先生確與吳氏於此一方面亦屬同志，盼其能成就此大功。（註四〇）自當時情勢上看，民國肇造，各地方言歧出，妨害國家統一之弊病已然暴露；另一方面，中國文盲衆多，人民教育水準低落，於民主政治之施行，亦爲一大障礙，中山先生亦體認國語統一之需要實刻不容緩。是以中山先生曾於民元年十月接受英文大陸報記者採訪時，提出統一國語之概念。（註四一）吳氏既於音韻學有極深之研究，於如何製定官音亦有確實作法，與中山先生相交既深，中山先生將統一國語之設計與執行，交吳氏主持，自是合情合理之事。

民國成立，教育部對國語統一之事亦極重視，將國語統一會事項列爲轄下專門教育司職掌事務之一。（註四二）

蔡元培在歐洲時卽與吳氏時相往來，對吳氏頗爲了解，是以民國元年五月，蔡元培赴北京任教育總長時，便請吳稚暉擔任國語注音字母工作，吳遂欣然北上。（註四三）

七月十日，中央教育部於北京召開臨時教育會議，教育總長蔡元培於開幕演說中曾提及國語統一問題：

……第五類大概含有社會教育性質，其中有一大問題，是國語統一辦法，現在有人提議初等小學宜教國語，不宜教國文。既要教國語，非先統一國語不可，然而中國語言各處不同，若限定以一地方之語言爲標準，則必招各地方之反對，故必有至公平之辦法。國語既一，乃可定音標，從前中央教育會議雖提出此案，因關係重要，尚未解決。……（註四四）

會中於八月七日並通過採用切音字母案，決定由部召集於音韻之學素有研究之人及通歐文兩種以上之人，共同決議，並於各省召集方音代表，以備諮詢，字母既定，編成切音字典，發行全國應用。（註四五）

十二月，教育部依此決議案，先設讀音統一會籌備處於部中，聘吳稚暉爲主任。（註四六）切音字母決議案之通過，無異爲民國二年讀音統一會預先鋪路，吳氏亦抖擻精神，展開其籌備工作。

吳氏受命籌備之後，即制定「讀音統一會章程」八條，並於民國元年十二月二日公布，對於會名、會員資格、選派方式、會議任務等，均有詳明規定，其要點如下：

一　會員之組織

㈠教育部延聘員無定額。

㈡各地代表員每省兩人，由行政長官選派；蒙藏各一人，由在京蒙藏機關選派；華僑一人，由華僑聯合會選派。

二　會員之資格

㈠精通音韻。
㈡深通小學。
㈢通一種或兩種以上之外國文字。
㈣諳多處方言。
（須合四種資格之一）

三　本會之組織

㈠審定一切字音爲法定國音。
㈡將所有國音均析爲至單至純之音素，核定所有音素總數。
㈢采定字母，每一音素均以一字母表之。（註四七）

由章程中可見，吳氏將其統一國音之理想寄託於此次會議，其集全國各地，精通音韻及製造音字之人於一堂，並以科學方法審定國音，分析音素，采定字母，將一件極繁瑣之工作，變得極有條理，誠屬不易。

吳氏並草定「讀音統一會進行程序」一册，即寄已聘之各會員，此文實爲吳氏集歷年來對統一國音及推廣音字主張之大成，全文大綱共分十項：

一、定名：定此會爲「讀音統一會」。由於語有讀音、口音之別，若稱爲國語統一會，則讀音、口音歧見紛起，徒滋繁亂。所以不即命名爲審定注音字母會，因注音字母必統一讀音後方能造作。其實，審定注音字母並爲此會惟一之重要條件。

二、徵集：此會乃徵集各省代表員及教育部延聘員組織之。以民二年二月十日徵集，二月十五日開會。

三、會規：公守之會約及如何推選會長、副會長、記音員、覆核員、及教育部特派員等，均於開會前分別定之。

四、審定讀音：逐字審定，每字就南北不齊之讀音中，擇取一音，以法定形式公定之，名之曰國音。

五、歸納母韻：先歸納審定之音同清濁者爲若干輔音（子音），歸納其同諧韻者爲若干主音（母音）。

六、採定字母：就所得根音，或省併，或不省併，製定筆劃簡少之子音若干，與母音若干，名曰「注音字母」。

七、編注字典：編一字典，使若電報新編之狀，取采定之字母，一一各注所審定之國音於其旁。此字典應先由教育部刊刻，任國人翻印。

八、集刻音表：每地延訪一人，使傾聽注音字母應讀之音，注之以相同之鄉音，集刻爲音表，各鄉之人欲知注音字母之如何讀法者，只需就音表中擇其鄉人所注者習之，則可並無派人傳布之必要矣。

九、頒布學校：取「注音字典」及「對照音表」兩書，頒布於全國師範及小學，使國文盡依國音授讀，則十年八年之後，通國人皆以國音爲近文之談話，自成一種極普通之官話，自能達於國語統一之境地。

十、扶持音字：凡有假借注音字母爲音字之用，而合於規定之法則者（音字與漢字並列），不惟不禁阻之，應當扶持之。（註四八）

此外，吳氏於此文中，亦強調本身對國音之各種主張，許多頗具價值，然亦有部分引起紛爭，今述之如下：

一、吳氏認爲，國音非以一城一邑之方音爲主，如限地而採其方音，必有盡舉鄙俚俗音，連帶採用之誤。（註四九）雖此說亦不無道理，然畢竟引起後來民八年國音、京音之爭。

二、吳氏預料，讀音統一會審定之音，必大段不離人人意中之官音，亦即北音。然其認爲北音（尤指北平音）無入聲及濁音，在聲音上留不完全之弱點（註五〇），此點於會中招致王照之攻擊。

三、聲明注音字母僅注漢字之音，並無意於以注音字母造作音字而代替漢字（註五一），用以避免守舊派之攻擊。

四、認可由漢字本身顯出其音，不必另於注音字母上注四聲，以免徒增平民學習困難。（註五二）然注音字母製定後，幾經修訂，仍是加上四聲。

五、主張字典之翻檢，於其篇首以音切爲綱，而以同音切之漢字繫於其下，以便執音切以求漢字。

（註五三）此法因翻檢甚易，只需懂得數十音字，即可翻檢，十分便利平民，至今尚爲國語字典最普徧之查檢方法。

六、於一般人所認爲，注音字母產生，古音、方音亦隨之消滅，吳氏以爲，不僅古音、方音不致消滅，反可因其記音之功用，使古音、方音得以保全。（註五四）

七、主張至多兩母相拼，認三拼、四拼太複雜，一般人不易學會（註五五），此點與王照主張相同。

八、重視學校之國音教育，尤其於國文教習，特別要求於音字須能寫能讀能拼，熟悉無訛後，方教學生。（註五六）。此爲吳氏注重國語師資之濫觴。

九、中國各地方言歧異，於注音字母之推行，勢必造成阻礙。吳氏主張于注音字母之外，更定閏母若干，拼切各地之土音，以補注音字母之不足。此閏母附于音表之後，使各地人以鄉音注之，以便傳習。（註五七）此法使各地民衆，由鄉音而學得注音字母，再由注音字母學得正確國音，與勞乃宣「由方音而官音」之玉初路線相同。（註五八）

十、吳氏主張，音字須與漢文並列，不可分離，如此可由音字而識漢字，自可減少失教之民衆。（註五九）日後吳氏之推行注音漢字，亦由此而來。

自吳氏手訂之「讀音統一會章程」及「讀音統一會進行程序」觀之，許多概念及具體作法，早在新世紀時期卽已醞釀，再經多年之深思熟慮，方才撰成；有切實之入手作法，不僅步驟井然，且鉅細靡遺，非有深厚之音韻學基礎及科學素養，曷能臻此。

第三節　注音字母之製定

壹　會議之召開及爭執

民國元年十二月，吳氏已將聘函寄發各會員，據今所存資料，會員共八十人，可謂集合全國語言學之耆宿精英於一堂，其名單如下：

江蘇十七人：吳敬恒、陳懋治、汪榮寶、顧實、華南奎、陸爾圭、邢島、楊曾誥、董瑞春、王雈、白振民、朱炎、謝冰、胡雨人、黃中疆、伍達、朱孔彰（安徽代表）。

浙江九人：胡以魯、杜亞泉、汪怡安、馬裕藻、錢稻孫、朱希祖、許壽裳、楊麴、陳濬。

直隸八人：王照、王璞、馬體乾、劉繼善、張瑾、王修德、王儀型、陳恩榮。

湖南四人：舒之鎏、周明珂、李維藩、陳遂意。

福建四人：盧戇章、蔡璋、林志烜、陳宗蕃。

廣東四人：鄭藻裳、羅贊勳、陳廷驥、楊耀焜。

湖北三人：嚴正煒、陳曾、李哲明。

四川三人：廖平、蔣言詩、王錫恩。

廣西三人：汪鸞翔、蒙啓謨、朱資生

山東二人：張重光、隨廷瑞。
山西二人：杜耀箕、藺承榮。
河南二人：陳雲路、李元勳。
陝西二人：李良材、高樹基。
甘肅二人：水梓、楊漢公。
安徽二人：洪達、程良楷。
江西二人：高鯤南、徐秀鈞。
奉天二人：李維楨、張德純。
吉林二人：烏澤生、王樹聲。
黑龍江二人：趙仲仁、劉澍田。
雲南一人：夏瑞庚。
貴州一人：姚華。
新疆一人：蔣擧清。
蒙古一人：汪海清。
籍貫不明者一人：孫鴻哲。

此八十人中，以蘇浙兩省爲最多（江蘇十七人、浙江九人），直隸次之（八人），其餘各省大部分均在二至四人之間（註六〇），由於江、浙會員幾佔全部人數三分之一，此實已肇下後來會中爭執之一因。

民國二年二月十五日，讀音統一會於北京正式召開，會員到會者有四十四人，即照議事規則以記名投票法選舉吳爲議長，王照爲副議長，開會三月餘，至五月二十二日閉幕。（註六一）其間爭執不斷，糾紛時起，究其爭執原因，可分數方面述之：

一、地域之爭：此爲以議長（吳爲江蘇人），副議長（王爲直隸人）爲首的南、北會員之爭。起初王照即對會員籍貫多寡不均而深致不滿，尤對江、浙會員之勢力過大，益憤憤不平，認爲會場將爲彼輩操縱控制。（註六二）

此外，吳氏提議十三濁音須加入字母中，王極力反對，認吳某陰懷以蘇音爲國音之詭謀，連日爭論甚烈，江蘇會員汪榮寶且大言：「南人若無濁音及入聲，便過不得日子」。（註六二）是已將音韻之爭變爲南北會員之爭，雙方相持三十餘日不決。王乃邀北十餘省會員於附近阿利干教堂別開一會，會議三天，決定群去見教育部董鴻禕部長，言：「蘇浙讀音統一會，我等外省人闌入多時，甚爲抱歉！」，董慰留之，王等遂請求，爲免蘇浙會員操縱會議，請准許一省一代表權，終獲部長首肯，而使東南會員添加濁音一案打消，然會期已甚緊迫，雙方會員亦兩敗俱傷，意興闌珊矣！（註六三）

二、王　吳個人之爭：除上述南、北勢力之爭外，吳、王二人亦有個人之摩擦與衝突。舉其犖犖大者有三。

㈠讀音統一會宗旨問題：王照於會前，卽以爲吳氏定此會名，乃欲復古而讀舊書之音，則王氏所主之官話卽被摒棄。至正式開議之日，吳氏登臺演說，標出讀書注音一大題目，而於白話教育之義一字未提，王氏甚爲不滿，立卽上臺演說，指出造新字原以拼白話爲其根本主義。

㈡會長名位之爭：王照於光緒年間，曾以甲午進士出任禮部主事（註六五），其官話字母復於淸末風行北十三省，是以自視甚高，未想於讀音統一會會長選舉時，以懸殊票數（五票對二十九票）敗給吳氏，氣自不平，後其於小航文存中云：

……余至京，入籌備處，見其布置已定，……延聘員聘書雖部長出名，實由吳某隨意指聘，……蘇浙兩省佔二十五人，……部派員……此項十餘人實皆與吳、楊沆瀣一氣，用以助威者也。開會之日，各省代表多未到，第一、第三兩項中之江左人三十餘員已過全數之半數，票舉吳某爲會長，余爲副會長。（註六六）

由上可知，王氏已隱指吳氏植黨營私，操縱選舉。王氏懷不平之氣，處處與吳氏爲難自在意料中。吳氏後來亦認爲，已身疑謗叢集，與會長一職令人垂涎者多少有關。（註六七）

㈢勞氏意見書公布問題：勞乃宣曾於會期中撰「讀音統一意見書」，以私函寄吳氏，書中極推重王照官話字母及雙拼法，並主不可加入濁音，此均與王照意甚合（然勞亦主增加兩聲母、四韻母及入聲，此又與王氏大不相同而與東南會員相合），而吳氏以其旨趣既略同，揚照過甚則適增其燄而滋會場之糾紛，乃不印佈其書，後爲王氏知悉，卽向勞氏之女取得意見書副本，當場向吳質詢，且出言不

遜，吳憤極，辭意遂決。（註六八）

三、敝帚自珍之心理：於讀音統一會會員中，以創造音字著者，如王照、吳稚暉、盧戇章、汪怡、邢島、馬體乾、劉繼善等，凡四十餘種。此外，尚有陸續以所著音字寄至會中備參考者，合計不下百餘種。（註六九）據吳氏回憶當時音字紛然雜陳之情形：

> （讀音統一會）開會的時節，徵集及調查來的音符，有西洋字母的，偏旁的，縮寫的，圖畫的，各種花樣都有。而且都具匠心，或依據經典，依據韻學，依據萬國發音學，依據科學，無非個個想做倉頡，人人自算佉盧。終著意在音字，幾乎也無從軒輊，無可偏採那一種……。（註七〇）

各人均思一爭雄長，通過自己之字母，是以會中暗潮起伏，爭執時起。有一江西代表高鯤南，必欲通過其「記音簡法」為正式採定之字母，與吳稚暉力爭，竟欲毆吳（註七一），可見爭執之激烈。此外，會中復有字母兩拼、三拼之爭，四聲標注問題，及應否另立閏音問題，均引起爭執。（註七二）儘管如此，吳氏仍盡力周旋，調和眾意，俟注音字母製定後，吳隨即辭職矣。

貳　注音字母之製定

儘管會中爭執不斷，議程仍依吳手訂之「讀音統一會進行程序」進行。首先審定國音，先依清李光地之「音韻闡微」各韻之同音字，採取其較為常用者，名為「備審字類」，在前一夜印發各會員，由各省代表，以會中暫用之「記音字母」將其音注上，次日交出音單，一省有一表決權，由記音員逐字公較其多寡，以最多數爲會中審定之讀音。（註七三）經過月餘，審音工作完成，共計審定六千五百餘字之國音，又附審最近流行之俚語及學術上之新字，計百餘字之國音。（註七四）

其次須核定音素，採定字母，於是爭執又起，各人均爭欲大會採用自己字母，幾欲動粗。其時字母提案頗多，主張約可分三派：偏旁派、符號派、羅馬字母派。（註七五）經討論結果，以襲用羅馬字母，則拼音時所用字母必多，以之注於漢字之旁，所佔面積，必較漢字爲長，而於印刷上遂發生種種困難。於是乃議決用固有之漢字，擇筆畫最簡單者，取其雙聲以爲聲母；取其疊韻以爲韻母，其寫法則凡與楷書混者，皆改用篆體。（註七六）

原則既定，終依浙江會員馬裕藻、朱希祖、許壽裳（三人均章炳麟弟子）、錢稻孫、周樹人等之提議，於三月十二日以四十五人之出席，得二十九人之贊成，將審定字音時暫用之「記音字母」正式通過，此記音音字母共三十九個，乃淵源於章炳麟所創之紐文、韻文，其中有十五個完全相同。（註七七）而馬裕藻於會期中曾撰「小學國語教授法商榷」一文，刊於東方雜誌，爲章氏之紐文、韻文大作宣傳（註七八），是以章氏字母之獲選，馬氏蓋有力焉。

此三十九字母如下：ㄅ、ㄆ、ㄇ、ㄈ、ㄪ、ㄉ、ㄊ、ㄋ、ㄌ、ㄍ、ㄎ、ㄫ、ㄏ、ㄐ、ㄑ、ㄬ、ㄒ、ㄓ、ㄔ、ㄕ、ㄖ、ㄗ、ㄘ、ㄙ、ㄧ、ㄨ、ㄩ、ㄚ、ㄛ、ㄝ、ㄞ、ㄟ、ㄠ、ㄡ、ㄢ、ㄣ、ㄤ、ㄥ、ㄦ。（註七九）

四、五月之間，事實上會場中只就注音字母及五聲、濁音等符號，略加討論修改。茲分述如下：

㈠是否另立閏音字母方面：議決不另立閏音字母，惟就正音字母中，擇其與所添閏音相近者，加符號以爲識別。（註八〇）

㈡清濁音問題：議決亦不另立濁音字母，惟於字母之旁附以「，」之記號以爲區別。（註八一）

㈢四聲問題：議決以點爲四聲符號，注於韻字之四旁。平聲左下角，上聲左上角，去聲右上角，入聲右下角，而陽平不加符號。（註八二）

㈣注音拼法問題，議決一般至多用兩拼，惟有齊齒、撮口、合口則加入「一」、「ㄨ」、「ㄩ」三母，用三拼法。（註八三）

四月二十三日，吳氏已辭議長職，由副議長王照接任議長。五月七日，王氏亦請病假，會員公推王璞接任主席。（註八四）十三日，議決國音推行方法七條，其中所請於教育部者，有設立國音字母傳習所，並速備國音留聲機，從速核定公定字母，將初等小學國文改爲國語。此外，諸如中學、師範國文教員及小學教員須以國音教授，及國音彙編頒布後，凡公告及小學課本之漢字均需添加國音（註八五）等，均有規定。至五月二十二日，歷時九十餘日之讀音統一會終於閉幕。（註八六）

關於吳稚暉之辭職緣由，說法不一，吾人自其「致讀音統一會諸先生書」、「辭職會員吳敬恒臨去之哀告」、「奉辭讀音統一會諸公書」三信中可得一大概。

吳氏自云，其本懷熱望，欲對貧弱之中國有所貢獻，盼中國早定注音字母，以輔助平民教育；以蔡元培等人之緣故，參加此會，本不爲名利，自以僥倖被推爲會長，卻爲會中烏煙瘴氣之人事所苦，又有所謂「會頭」「會脚」，以及所謂「會主」「會客」之諷刺語，不得已而強忍之，集會數月，已謗尤叢生，自思恐爲一會長之虛名，招他人疑忌，是以早讓之爲是。（註八七）

此外，王照因「清濁音問題」與「勞乃宣意見書問題」，與吳相持，當面斥駡，亦造成吳不久於位。而高鯤南爲通過其字母而欲毆吳，適足以更堅吳辭職之意。（註八八）

然吳辭職時仍保持良好風度，再三罪己，而將勞氏意見書未公布之由，詳加解釋，責己以疏忽之罪，另對兩拼，三拼問題，四聲符號問題，京國音問題，一一作詳細規劃，並勸主偏旁及簡字獨立之人不必互相排斥，大家共同扶持此公定之音字。（註八九）再請大家照常將其修正，勿持高論，相互折衷，使其更加完善（註九〇），臨行諄諄囑咐，人雖去而心仍存會中，並不以己之去留爲意，其人格之高尚，於此可見也。

讀音統一會之召開爲中國近代文化史上之大事，然並未受到應有之重視，實在可歎！它最少完成兩件重要任務，一爲由各省代表公決產生「國音」，令千百年來分歧之方音，得統一於國音。二千年前之秦始皇僅達成「書同文」之地步，然未能進一步令「語同音」，而讀音統一會竟能達到，吳氏於衆人之中折衷調和，使盡棄地域之見，進而能順利產生國音，不得不謂爲重要之因素。

讀音統一會完成之另一重大任務，即製定注音字母。中國歷來最爲人所頭痛之漢字標音問題，於西洋字母傳入後，露出一線曙光，而注音字母製定後，此一問題即從柳暗花明中豁然開朗。

吳氏以其科學素養，及深厚之音韻學基礎，以歸納、分析法用於注音字母之製定工作（如歸納母韻、分析音素），使繁難之工作減省不少時間、精力，故未及一月，注音字母已然製定。於採定字母方面，吳氏並未利用職權，強欲通過己所創之「豆芽字母」，反之，其最後採用之注音字母，竟爲與其有宿怨之章炳麟所創。吳氏此種廓然大公，不計私怨之精神，亦使會中減少許多無謂糾紛。

於吳、王二人之爭執，平情而論，吳氏有其錯誤之處，以彼之堅持添加濁音，而引起部分會員反感，幾至不可收拾，然部分純係誤會，如黎錦熙評此事曰：「……（吳）惟每發言，議論滔滔，愈說愈複雜，不知者以爲是放烟幕彈，適又主席，聞者遂疑其刻意復古……」（註九一）而黎氏謂王照爲一成見極深，意氣用事之人（註九二），其從開始即對吳不存好感，以爲吳意圖操縱會場，遂處處作對，甚至以退出會議威脅，令會議進行受極大之干擾。加以部分會員各懷私心，不願合作，如此，在在增加會議之困難。而吳卻能爲大局著想，處處隱忍，摒除私意，與衆人從小異中求大同，終順利完成製定國音與注音字母，可謂其功匪淺。當年如以另一人主持讀音統一會，於喧嘩吵嚷之環境下，恐無國音及注音字母之順利產生，今日吾人恐仍舊停留於「同省之人，見面不能對談」之局。

【附註】

註一　黎錦熙，國語運動史綱（以下簡稱「黎著史綱」），頁一七、二三、四六。

註二　同註一，頁一三；一見白滌洲，介紹國語運動急先鋒—盧戇章，國語週刊，第十期（二十年十一月七日），頁二二；一見方師鐸，五十年來中國國語運動史（臺北，國語日報出版社，五十八年十二月第二版），頁九。

註　三　同註一，頁一五。

註　四　同註一，頁一六。

註　五　同註四。

註　六　同註四；一見方師鐸，五十年來中國國語運動史，頁一〇。

註　七　何默，語言學家王小航，收於紀果庵編著，晚清及民國人物瑣談（臺灣學生書局，六十一年十一月初版）頁一六七、一七〇；一見黎著史綱，頁三三—四。

註　八　何默，語言學家王小航，頁一六八；黎著史綱，頁二四—五。

註　九　黎著史綱，頁二六。

註一〇　黎著史綱，頁二七—二九。一見心怡，官話字母與合聲簡字，國語週刊三十九期，（二十一年六月十六日）頁八一。

註一一　大方，注音通俗報紙之回顧與前瞻，收於方師鐸，五十年來中國國語運動史，附錄三，頁一九九。

註一二　陳訓慈，桐鄉勞玉初先生小傳，文瀾學報第一期（二十四年一月），頁三五五—七。

註一三　同註一〇。

註一四　黎著史綱，頁三〇。

註一五　黎錦熙，三十五年來之國語運動，收入三十五年來之中國教育（上海，商務印書館二十年出版。）中國教育年鑑第十一冊（宗青圖書公司出版），頁七四—五。

註一六　方師鐸，五十年來中國國語運動史（以下簡稱「方著國語史」），頁一五；黎著史綱，頁三二。

註一七　心恬，官話字母與合聲簡字，國語週刊，第四〇期（二十一年六月二十五日），頁八三。

註一八　李國祁等著，民族主義，周陽山、楊肅獻編，近代中國思想人物論（台北，時報文化出版公司，七十一年九月十五日三版），頁九。

註一九　王爾敏，中國近代知識普及化之自覺及國語運動，頁三七。

註二〇　同註一九。

註二一　同註一九，頁三八。

註二二　尹耕，龔定盦國語統一論，國語週刊，第三九期（二十一年六月十八日），國語漫談欄，頁八二。

註二三　陳懋治，統一國語問題，收入梁啓超等撰，晚清五十年來之中國（民國十一年上海初版，香港，龍門書店，六十八年九月出版），頁一九一。

註二四　王照，小航文存（文海出版社），卷一，頁二七。

註二五　勞乃宣，桐鄉勞先生遺稿（文海出版社），卷二，頁二五。

註二六　黎著史綱，頁三〇。
註二七　多賀秋五郎，近代中國教育史料（一—五）（東京、日本學術振興會，昭和五十一年出版），冊一，頁二一八。
註二八　黎著史綱，頁三二。
註二九　各省教育總會聯合會議決案，舒新城輯，近代中國教育史料（十七年上海出版，文海出版社重印）頁二〇二。
註三〇　同註二九。
註三一　吳稚暉，書神洲日報東學西漸篇後，新世紀，第一百零二號，頁一〇。
註三二　同註三一。
註三三　同註三一，頁一一—一二。
註三四　同註三一，頁一二—一三。
註三五　同註三一。
註三六　趙淑敏，吳稚暉傳，頁四四。
註三七　張其昀，國語之父吳敬恒，中國一周，七二七期（五十三年三月十日），頁五。
註三八　楊編吳年譜，頁四〇—一；趙淑敏，吳稚暉傳，頁四七。
註三九　陳編吳年譜，頁三九。

註四〇　趙淑敏，吳稚暉傳，頁五五。

註四一　「中國之鐵路計劃與民生主義」一文中提及「省區之異見既除，各省間不復時常發生隔閡與衝突，則國人之交際日增密切，各處方言將歸消滅，而中國形成民族公同自覺之統一的國語必將出現矣。」，見黨史會編訂，國父全集（台北，黨史會出版，七十年八月一日再版），冊二，論著，頁八九；一見史穎君撰，我國國語運動之研究（政大教育所碩士論文，七十三年一月出版），頁四七。

註四二　參議院議決修正教育部官制，第八條，專門教育司掌事務，第七項爲「關於國語統一會事項」，見教育雜誌，第四卷第六號，法令欄，頁四，總頁〇四一二〇。

註四三　楊編吳年譜，頁四二一三。

註四四　我一，臨時教育會議日記，教育雜誌第四卷第六號，特別記事欄，頁一、四，總頁〇四一二一、〇四一二四；另見多賀秋五郎，近來中國教育史料（一一五），冊二，頁五七〇。

註四五　同註四四，頁一三—四，總頁〇四一三三—四。

註四六　黎著史綱，頁五〇。

註四七　黎著史綱，頁五〇—一；一見王炬，國語運動的理論與實際（台灣省國語推行委員會印行，四十年五月），附錄一，頁九二。

註四八　讀音統一會進行程序，吳全集，卷五，頁一〇三—一二二；一見教育雜誌，第四卷第十一號，附錄，頁六三—七四，總頁〇四六六七—七八；及第四卷第十二號，附錄，頁八一—九二，總頁〇四七八七—九八〇。

註四九　讀音統一會進行程序，吳全集，卷五，頁一〇五；一見吳稚暉先生選集（黨史會編印，五十三年三月二十五日），下册，頁九。

註五〇　同上文，吳全集，卷五，頁一〇六；一見吳稚暉先生選集（以下簡稱「吳選集」），下册，頁一〇。

註五一　同上文，吳全集，卷五，頁一一二；一見吳選集，下册，頁一六。

註五二　同上文，吳全集，卷五，頁一一五；一見吳選集，下册，頁一九。

註五三　同上文，吳全集，卷五，頁一一四；一見吳選集，下册，頁一八。

註五四　同上文，吳全集，卷五，頁一〇九；一見吳選集，下册，頁一三。

註五五　同上文，吳全集，卷五，頁一一三；一見吳選集，下册，頁一七。

註五六　同上文，吳全集，卷五，頁一二〇；一見吳選集，下册，頁二四。

註五七　同上文，吳全集，卷五，頁一二三；一見吳選集，下册，頁二七。

註五八　王炬，國語運動的理論與實際，頁五三。

註五九　讀音統一會進行程序，吳全集，卷五，頁一二二；一見吳選集，下册，頁二六。

註六〇　黎著史綱，頁五一—二；一見黎錦熙，民二讀音統一大會始末記，國語週刊，第一三三期（

二十三年四月），頁二七八；一見王炬，國語運動的理論與實際，附錄一，頁九二—三。

註六一　黎著史綱，頁五三、五八。

註六二　王照，書摘錄官話字母原書各篇後，收入王照著，小航文存（文海出版社出版），頁一一八、一二八；黎著史綱，頁五八。

註六三　王照，同前書，頁一一九—一二五；黎著史綱，頁五九—六〇。

註六四　王照，同前書，頁一一四、一一五、一一七、一一八。

註六五　黎錦熙，王照傳，國語週刊，第一二九期（二十三年三月十七日），頁二六七。

註六六　王照，小航文存，頁一一六。

註六七　吳稚暉，奉辭讀音統一會諸公書，吳全集，卷五，頁一三二。

註六八　黎著史綱，頁六一；一見黎錦熙，民二讀音統一大會始末記（續），國語週刊，第一三四期（二十三年四月二十一日），頁二八〇。

註六九　陳懋治，統一國語問題，頁七。

註七〇　三十五年來之音符運動，吳全集，卷五，頁三二三。

註七一　黎著史綱，頁六〇。

註七二　同註六九，頁八。

註七三　黎著史綱，頁五三。

註七四　同註七三，頁五三—四。
註七五　同上書，頁五四—五。
註七六　陳懋治，統一國語問題，頁七。
註七七　羅常培，國音字母演進史，頁七九。
註七八　馬裕藻，小學國語教授法商榷，東方雜誌，九卷九號（二年三月二日），頁一三—一五。總頁二三二一—三。
註七九　方毅，國音沿革，頁八—一二。
註八〇　陳懋治，統一國語問題，頁八。
註八一　同註八〇。
註八二　同註八〇；一見邢島，讀音統一會公定國音字母之概說，收於李定一，包遵彭、吳相湘合編之中國近代史論叢（台北，正中書局，六十四年十一月台四版）第二輯，第八册，頁一六七—一六八。
註八三　同註八〇。
註八四　黎著史綱，頁五七。
註八五　同註八四。
註八六　黎著史綱，頁五七—八。

註八七　奉辭讀音統一會諸公書，吳全集，卷五，頁一三二。
註八八　黎著史綱，頁六一。
註八九　致讀音統一會諸先生書，吳全集，卷五，頁一二八。
註九〇　辭職會員吳敬恒臨去之哀苦，吳全集，卷五，頁一三一。
註九一　黎著史綱，頁六〇。
註九二　黎錦熙，王照傳，國語週刊，一二九期，頁二六八。

第四章　護持國語運動

第一節　民初語運之發展及國音爭議

壹　語運組織之變遷

讀音統一會閉會後，因教育部人事變動，遂將議決案束之高閣，無人聞問。

民國四年（一九一五年）一月，王璞等二十五人組「讀音統一期成會」呈教育部請頒行注音字母，教育部以「清理」爲辭而未予頒行。同年十一月，王璞等復爲第二次呈請，並報請創立「注音字母傳習所」。教育部核准傳習所先行試辦，設址於北京宣武門外，十二月，教育部長張一麐爲該所呈文大總統請予立案，二十二日奉到政事堂批令准予立案。（註一）

民國五年，「注音字母傳習所」在所長王璞之努力宣傳下，雖因政局之變動，多數人已無心情注意及此，然來學之人仍然不少。該所並附設一「注音書報社」，出版一些如注音百家姓、注音千字文之類，復發行一定期刊物，名「注音字母報」。（註二）

民國五年，帝制推翻，共和回復之後，部分人士深覺國民知識程度與民主共和密切之關係，爲求普及國民知識，須積極鼓吹文字改革，其中以黎錦熙之言論最具代表性，他認爲：

大多數國民以不通文義之故，於國家政治絕無所知；一二人操縱之，雖有亡國敗家之禍，弗能喻也。……然共和回復之後，不圖其本，一任大多數之國民聾盲如故，則民意二字，又將爲少數人所僭奪，……此其機括，悉在義務教育之四年間，……所學之本國文字能應用與否而已。

（註三）

繼而多人撰文以鼓吹之，各省來信贊成者有兩百餘起，於是每省數人代表，發起組織「國語研究會」。該會在民國五年成立，暫採委員制，其宗旨爲：「研究本國語言，選定標準，以備教育界之採用」，吳稚暉亦爲會員之一。（註四）

民國六年，開第一次大會於北京，擧蔡元培爲正會長，張一麐爲副會長，復擬定國語研究調查之進行計劃書。（註五）

「國語研究會」會員，皆爲一時之選，頗思有所作爲。最要者，爲向教育部請願，請其公布注音字母。教育部終於在民國七年十一月正式予以公布。同時，該會會員除鼓吹國語統一外，並努力練習白話文。時値五四運動時期，因而造成國語運動與文學革命雙潮合一之態勢（註六），其會員亦由一千餘人增至一萬二千人。（註七）

教育部繼公布注音字母之後，復於同年十二月，公布「教育部國語統一籌備會規程」十四條。第

一條即明揭其宗旨；「國語統一籌備會，以籌備國語統一事項及推行方法爲宗旨。」（註八）

民國八年四月二十一日，「國語統一籌備會」正式成立，由教育部指定會長爲張一麐，吳稚暉與袁希濤擔任副會長（註九），此爲吳氏正式參與國語行政之始。

國語統一籌備會時期，亦完成不少重要工作，如注音字母之修訂、國音字典之公布、改學校國文科爲國語科等（註一〇），將於後面一一論及，此處不再贅述。

貳　注音字母之公布與修定

一　爲注音字母之公布：民國七年十一月，教育部公布注音字母。其公布理由曰：「此項字母，未經本部頒行，誠恐傳習既廣，或稍歧異，有乖統一之旨」。（註一一）注音字母，共聲母二十四，介母三，韻母十二，濁音符號（於字母右上角作，），四聲點法（於字母四角作點，如下圖 上去□平入）。（註一二）

二　注音字母音類次序之排定：因原定次序，聲母尚因襲守溫三十六字母之舊序，介母韻母略依音理排列，而正確尚不如勞氏之簡字譜，是以民國八年四月十六日，教育部復以部令公布注音字母音類次序：ㄅㄆㄇㄈ　ㄉㄊㄋㄌ　ㄍㄎㄫㄏ　ㄐㄑㄬㄒ　ㄓㄔㄕㄖ　ㄗㄘㄙ　ㄧㄨㄩ　ㄚㄛㄝ　ㄞㄟㄠㄡ　ㄢㄣㄤㄥ　ㄦ。（註一三）此次序爲吳稚暉所排定。（註一四）

三　「ㄜ」母之增置：民國九年五月二十二日，國語統一籌備會（以下簡稱統一會）第二次大會，開會議決分析ㄜ母爲ㄜ ㄝ兩母，以便區別京音中所沒有之入聲字，後因草書連寫之故，將ㄝ母寫成ㄝ，注音字母遂成四十個。（註一五）

四　「ㄦ」母之兼用作聲母：民國九年之臨時大會通過，ㄦ母亦得用爲聲母，其位置在聲母之末，凡譯日文「ラ」行及西文「R」母概用ㄦ，以示與ㄌ母（相當西文「L」母）區別。（註一六）

五　「ㄪ」、「ㄫ」、「ㄬ」之逐漸名存實亡：當初爲遷就韻書與方音之故，列入此三字母，後逐漸爲「ㄨ」（如：無、維、武）「ㄩ」（如：元、原、月）兩母及無聲母（如：敖、鵝、偶）所歸併，ㄪㄬㄫ母亦名存實亡。（註一七）

六　四聲點法之變遷：民國七年公布注音字母表附了四聲點法，後於民國九年復議決：「教授國音，不必拘泥四聲。」經過民國十年黎錦熙之主張，「依京音聲調以標調」，於民國十一年，教育部公布注音字母書法體式之說明中規定：「橫行連寫時用「ˊ」「ˇ」「ˋ」「·」，記於韻母上表示陽平、上聲、去聲及入聲，陰平無號。（註一八）

叁　有關國音之爭議

一　京國音之爭：

京音，指北京話；國音，指民國二年讀音統一會多數票決的讀音。而此種揉和全國各地方音而成之國音，竟無人能發此怪音。（註一九）如錢玄同即與黎錦熙談及，當時小學生照國音念教科書，十分

彆扭（註二○），某些地方，甚至釀成京音教員與國音教員以相互攻詰而互毆之事。（註二○）

民國九年，南京高師英文科主任張士一，主張根本改造標準語，而以「北京本地人，受過中等教育的，所說的話」爲標準說。高氏認爲，一般所主張以普通話（藍青官話）爲標準，不如以「有教育的北京人所說的話」爲標準。（註二二）

張士一「京音派」之主張，引起吳稚暉之詰難，他指出，如照張氏之說法，所謂「京」者，究以何處爲界？以京城爲界？抑或以京畿爲界？而以受中等教育者之音爲準，中等教育者之音是否皆相同？殊屬疑問。而同爲一人，此時與彼時之音亦不相同（註二三），凡此種種，皆標準難訂也。吳氏復指出，將北京音、語，作爲標準，編成一書，教各地都照著教授，此又違反張氏所主張之：要活的、口授的。況且各處因要拿京音做標準，于是來京裏學，安知各處之人，都能學得像京音嗎？使說慣本地話之人，說北京話，不是要困難嗎？（註二四）

吳氏所注重之方向，爲使各地失學民衆，藉注音字母學會其本地話，可與人互通音問，至於欲各地民衆均學京音，吳氏不以爲然，認爲須顧及各地之差異。其言云：

北京人能這樣說，很有次序，別處人未必都能；北京有的話，也不好以爲天經地義，他們沒有的，不可也跟他們就不要。（註二五）

雖則標準語以北京語爲準，爲大勢所趨（註二六），然如此一來，民二年「讀音統一會」辛辛苦苦所訂之國音，又要發生動搖，吳氏之反對京音，亦由於此。

民國九年十一月，吳氏與黎錦熙代表統一會，和張士一、顧實等，在南京會商「京國之爭」之問題，然以張士一等堅持改造國音，會議遂無結果而散。（註二七）

民國十年，統一會第三次大會時，黎錦熙卽提出呈請公布國音聲調的標準案，主張逕以北京語之聲調爲標準。此案雖未通過，而國語留聲機片已以北京音爲準，傳習人數漸多，實際之國音亦逐漸京音化（註二八），加以民九年公布國音字典，其所注之音十九與北京音不期而暗合（註二九），是以國京音之爭，已漸形消散。

二　國音標調問題：

以嗓音的高低來辨別字之異同的「音位」，叫聲調。（註三〇）中國人自古卽以平、上、去、入四字，作爲四個聲調之代表，稱爲「四聲」。（註三一）

民二年之「讀音統一會」，及民七年公布注音字母，均曾對四聲點法有所規定，然以未規定調値（聲調中音之高低及時間長短），施行無一定標準；且因北方人無法發入聲，造成推行之困難。於民國九年統一會臨時大會時，遂議決：「教授國音，不必拘泥四聲」。（註三二）

然當時許多人，仍主張注音字母應附四聲，否則無法知曉字之正確讀音，吳氏於此大力反對，而對音韻學者研究四聲，抨擊尤力，認於普及教育大有妨礙，吳氏爲劉復之「四聲實驗錄」作序，卽指斥此輩音韻學者：

注音字母的狀況，冷淡到如此，並且硬插入了一個風馬牛的四聲問題進去，使他生了食積，消化不下，懨懨而病，都是幾個學者，把這塊普通最有用的馬口鐵，要鑲起金鋼鑽來；……反把福利一般婦孺的緊要好處，丟在九霄雲外。（註三三）

吳氏認爲，四聲增加一般平民學習注音字母之困難：

彼所難者，某字不知確爲某聲。某字某聲枝節教之，日月移於上，精神敝於中，時日既多，厭倦尤易，此恒之所以稱爲難也。（註三四）

吳氏指出，學校教師於教漢字之時，應早已告學生以四聲，「故四聲者，識字人之所應知，而且已知，不當聲涉注音字母也」。（註三五）吳氏以爲，欲以注音字母代替漢文爲用，完全不可能也，是故須注音字母陪襯於漢字之旁，四聲由漢字本身顯示，注音字母但標其音耳。是以其結論爲：「注音字母惟其完全將形狀四聲等一掃而空，而於下級的傳佈愈易，而且愈有用。」（註三六）

後來黎錦熙提出呈請公布國音聲調的標準案，民國十一年，教育部公布之注音字母書法體式，即規定五聲之符號如下：

陰平　無號（重讀或延長讀時可用「一」。）

陽平　ˊ

上　ˇ

去　ˋ

入　˙（註三七）

此雖與吳氏之主張大相逕庭，然吳氏體念貧苦大衆學習之困難，力從簡易處著手之深心，則爲吾人所不可不察者。

第二節　民初之漢字改革運動

壹　漢字改革思潮之再起

近代之漢字改革運動起自清末，十數年間，頗造成一股聲勢，迄辛亥武昌起義後，因政局變動而戛然中止。自讀音統一會製定注音字母後，此一思潮似已暫息，然自一九一五年後，復有躍躍然動之勢。

先是一九一五年夏季，美東中國學生會，成立文學科學研究部，胡適被推爲文學股委員，負責準備年會時文學股的論題。胡適與趙元任商量，決定以「中國文字的問題」爲題，由胡適和趙元任分別報告，趙元任負責報告「吾國文字能否採用字母，及其進行方法」，胡適報告「如何可使吾國文言易於教授」（註三八），由於發言地點係在海外，並未對國內有若何影響。

於國內首揭漢字改革大旗之雜誌爲「新青年」，爲陳獨秀主編，於一九一五年九月創刊，攻擊傳統文化，爲其主要主張。（註三九）

中國傳統文化，以儒家爲代表，而儒家學說中，亦有不少擁護專制之言論，袁世凱當政後，恢復

專制，並恢復祀孔之典禮，以期藉此恢復定於一尊之傳統。（註四〇）

近代學者林毓生，對中國啓蒙運動時期（註四一），學者們徹底反傳統之思想，提出解釋。其指出，民初袁世凱政權之腐敗，與洪憲帝制對傳統符號之濫用，以及張勳復辟與保皇黨之活動，使知識分子證實或體驗了傳統惡習之強大勢力，因此產生反傳統之思想革命，而啓蒙時期之反傳統思想，係爲整體論之特質，即認爲傳統是一有機之實體，只有整體地推翻傳統，方能有效地建立新的現代文化。（註四二）

循此一思路前進，中國傳統文化盡載之於古書中，而以漢字之形式表達，是欲推翻傳統文化，必先廢除其記載之工具—漢字，漢字改革之聲遂再起。

一九一八年一月，錢玄同在「新青年」中，已發表其「兼用羅馬字母和注音字母兩種來標音」之主張（註四三），此後新青年並陸續刊登其討論世界語之文章，觀其思想，漸有已廢棄漢文之意。（註四四）至同年四月，其於「新青年」四卷四號發表之「中國今後之文字問題」，始明揭廢棄漢文之主張，此直是與一年前胡適於「新青年」發表之「文學改良芻議」相互呼應，亦是爲「新青年」對中國語、文之挑戰下達一總攻擊令，從此引發了規模龐大且辯論激烈之「漢字改革問題論爭」。此一論爭，不但參加人數衆多，包含當代知名學者，且其時間維持甚久，至民國三十年代尚餘波盪漾。

這些討論漢字改革的文章，我們可就其中重要的幾篇按發表時間的先後，將其列表如下：

作者	文章名稱	發表時間	雜誌卷期
錢玄同	論注音字母	7.1.15.	新青年4卷1、3號
吳稚暉	致錢玄同先生論注音字母書	7.1.25.	上海時報及中華新報及新青年4卷5號
錢玄同	中國今後之文字問題	7.3.14.	新青年4卷2號
朱有畇	反對注音字母	7.9.15.	新青年5卷4號
朱有畇	反對Esperanto	7.9.27.	新青年5卷4號
吳稚暉	補救中國文字之方法若何	7.10.30.	新青年5卷5號
傅斯年	漢語改用拼音文字的初步談	8.2.11.	新潮1卷3號
吳敬恒	論注音字母書（與方叔遠）	8.3.20.	教育雜誌11卷3號
胡適	與藍志先討論拼音文字問題	8.3.23.	新青年6卷4號
錢玄同	減省漢字筆畫底提議	9.9.15.	新青年7卷3號
錢玄同	高元國音學序	11.1.22.	高元國音學及教育雜誌14卷3號
黎錦熙	高元國音學序	11.1.28.	高元國音學及教育雜誌14卷3號

胡適	高元國音學序	11.1.22.	高元國音學及教育雜誌14卷3號
何仲英	漢字改革的歷史觀	11.3.30.	國語月刊1卷7期
蔡元培	漢字改革說	12.1.	漢字改革號
錢玄同	漢字革命	12.1.	漢字改革號
黎錦熙	漢字革命軍前進的一條大路	12.1.	漢字改革號
林玉堂	國語羅馬字拼音與科學方法	12.9.12.	北京晨報副刊
吳稚暉	二百兆平民大問題最輕便的解決法	13.1.25.	東方雜誌21卷1號
魏建功	從中國文字的趨勢上論漢字的應該廢除	14.8.26.	國語週刊8期
周作人	國語羅馬字	15.10.18.	語絲一〇二期
陳光垚	發起簡字運動臨時宣言	17.5.13.	貢獻3卷2號
彭學沛	廢止中國字用拼音文字	17.6.1.	現代評論第三週年增刊及上海中央日報副刊
杜子勁	中國新文字問題	17.7.1.	河南教育中國新文字問題號

貳　漢字改革言論之分析

一　廢除漢字之理由：

贊成廢除漢字者認爲，漢字有以下諸多缺點：

1.難寫、難記、難認。對於此點，傅斯年指出：中文的字數雖少，都是個個獨立，不特個個獨立而已，就形體而論，又是異常的離奇，集合那似是而非的象形，似是而非的會意，似是而非的諧聲，成就了個一塌糊塗。嚴格說起來，現在的楷書，還不如二千年前的篆文容易辨認，更不如他有意識。字音既然離字形而獨立，字形又弄的不成形，所以青年兒童必須一字一字的牢記字音和字形，必須消耗十年工夫用在求得這器具上。等到這器具取得了，精力也消耗大半了，讀書的時期也過去了，如何再求知識上的進取？（註四六）

2.不適合現代生活。如打電報、排印、打字、查字典，均十分困難。如趙元任曾比較拼音字和漢字拍電報所用點數，發現拼音字省力得多，兩者相差近一倍之多。（註四七）排印方面，則西文排字如下雨，漢文排字如逮風，且差誤百出。（註四八）查字典方面，不但兩百多部首難記，其他如口訣、部首次序、從屬等均難記。（註四九）

3.與近代文化格格不入。認爲固有的漢字，固有的名詞，實在不足以發揮新時代之學理事物。（註五〇）此外，漢字與白話文根本無法配合，要做優美的白話文，就須廢漢字。（註五一）

4.漢字已走上象形文字之絕路。象形文字在古代或者可以適用，後來就感覺困難，到現在更是滿目瘡痍無法補救，實在有許多事情，是無形可象的。現在各國的語言雖各不同，但大多都捨棄了象形文字，採用拼音文字，漢字自不應逆此潮流。（註五二）

5.漢字包含濃厚的封建思想，錢玄同認爲，二千年來，用漢字寫的書籍，無論那一部，打開一看不到半頁，必有發昏做夢的話，若令童子讀之，必致終身蒙其大害而不可救藥。（註五三）如欲祛除奴隸道德思想，當然以廢孔學爲唯一之辦法；欲廢孔學，唯有將中國書籍一概束之高閣。因中國書籍概用漢文記載，故推至最終，須先廢除漢文。（註五四）

由於漢文之本身缺點，造成國家社會遠落後於世界諸國：

1.教育不普及，民智不開。黎錦熙認爲，十幾年來，專制餘毒，流爲軍閥，使中國戰禍不斷，外又有帝國主義侵略，社會大衆痛苦不堪，但是無能爲力，其關鍵就在教育不普及。只要能夠開通民智，四百兆人個個都算上一個人，又有什麼事情辦不成？（註五五）而教育不普及之最大原因，就在於中國文字難學。（註五六）

2.學術不發達，文化落後。杜子勁以爲，中國號稱四千年的文明，但能稱得起世界名人或世界名著的，皆交了白卷。其最主要因素，在中國文字笨拙，難以學習。中國人到能讀書、能著作的時候，已經是鬢髮蒼蒼的白頭翁了。（註五七）

3.妨害國語統一。錢玄同指出，漢字不革命，則國語決不能統一，因漢字不是表示語音的利器，

故若不廢漢字，改用拼音文字，決無法促使國語統一。（註五八）

4.與世界隔絕。外國人因爲中國文字難學，對中國十分隔閡，無論在政治上、學術上、民情風俗上，他們對中國的情況，完全不了解。杜子勁舉例說明此種情形的危險，如「五卅」事件，外國人就想其爲拳匪之舉動。（註五九）

二 主張採拼音文字之理由

1.自漢字演變趨勢來看，已逐漸走向拼音。錢玄同認爲，漢字演變至最後，凡同音的字，都可以任意亂寫，如生薑寫成生姜，銅圓寫成同元。總而言之，對固有之文字都作爲注音字母用，這便是「假借」。（註六〇）照六書發生的次序看，可知漢字是由象形而表意，由表意而表音；到了純粹表音的假借方法發生，離開拼音，只差一間了。（註六一）

2.拼音文字簡單易學。胡適指出，將來如能有一種拼音文字，把我們所用的國語，拼成字母的語言，使全國之人，只消學二三十個字母，便可讀書看報。（註六二）傅斯年亦認爲，歐文字數雖多，字母只有二十六個，只要認會這二十六字母，學明白發音，便可免去記憶音讀的困難。（註六三）

3.認爲漢字修繕改良之法皆不適用，捨拼音文字別無他途。如有人主張用草書代替楷書，傅斯年則以草書之形體太不分曉，不能用於印刷，認爲不可行。（註六四）於注音字母方面，傅氏認爲僅能助人識字音，卻不能助人解文字，僅能供人互通音問，卻不能使人從他得知識。（註六五）杜子勁則認爲，注音字母依舊爲象形文字之軀殼，漢字所有的缺點，他都有；且注音字母本身不分四聲，沒有確定意義。（註六六）。杜氏對簡字亦認為不如西文書寫之便，且依然有難記、難認之弊病。

4.就實用上言，應採用拼音文字。如採用拼音文字，不但和世界文化更為接近；且更適合現代生活，教育易於普及，文化也容易提高，政治上中外亦可相互得到了解。打電報、編字典、打字，均不再有困難。（註六七）

三　漢字應如何補救？

對於此問題之主張，依其態度之不同，可大別為改良派與激烈派兩類。前者乃主張不廢漢字，而以改良之法，對漢字加以苟且修繕，又可分為三類：

1.主張以注音字母為漢字之輔佐。吳稚暉、藍志先所主張，以注音字母為輔助漢字之最佳方法。

2.簡體字。錢玄同曾於「新青年」發表其減省漢字筆畫之提議（註六八），採取古字、俗字、草書、同音假借字等，作為簡體字。（註六九）何仲英亦贊成錢氏想法，力主採用簡體字。（註七〇）

3.限定常用字。戴季陶曾提出此種主張，係限制使用漢字之字數，將常用字減至一千字以內。（註七一）認為一般平民，只須學此一千字，即可應付日常生活所需。

至於激烈派則主張廢除漢字，至其所採之字母，則各家主張不同，可分四種：㈠世界語。㈡單用一種西文。㈢以羅馬字母拼漢語。㈣以國際音標拼漢語等。茲分述之：

1.世界語。自吳稚暉等人在巴黎「新世紀」大力提倡世界語後，一時頗獲國內重視。民國元年，邢島在「東方雜誌」發表之「改革文字之意見書」中，即力倡世界語。（註七二）蔡元培任教育總長時，亦於專門司之下，設一「世界語傳習所」，於所擬學校章程中，在外國語學校中，特設世界語一科。（註七三）此外，「新青年」雜誌中，有錢玄同、孫國璋、區聲白、淩霜、周祜等人，爲之提倡。（註七四）「東方雜誌」亦於十九卷十五號，闢一「國際語運動」專號（註七五），可說鼓吹者衆。

2.單用一種西文。主張採一種通行最廣的西洋語文。

3.以羅馬字母拼漢語。傅斯年卽如此主張。他認爲外國語難學，所以須保留漢語，爲其造拼音文字。（註七六）

4.以萬國音標拼漢語。錢玄同有一度曾如此主張。（註七七）認爲國際（萬國）音標，較羅馬字母要完備，且更爲科學，讀音又全世界統一（註七八），是以採用萬國音標。

四　過渡時期之措施

錢玄同認爲以十年爲期，以改用新文字，於籌備期內，可爲漢字暫作補偏救弊之法：

1.寫破體字。凡筆劃簡單的字，不論古體、別體、俗體，都可採用。

2.寫白字，卽將漢字同音之字中，揀一個筆劃較簡而較通行之字，來代替幾個筆劃較繁而較罕用的字。

3.有音無字，或漢字表音不眞切者，用注音字母。

4.無限制輸入外國詞彙，最好直寫原字。

5.使注音字母獨立使用。（註七九）

黎錦熙認爲，要爲將來新文字作鋪路工作，一方面須推行和語言接近的白話文學，一方面則以專門的科學的方法，實地測驗調查，漢語中的語音和語詞，大膽地歸納一種直標語音「連寫詞類」的文字出來。（註八〇）

第三節　吳氏維護漢字與注音字母之主張

五四時期之漢字改革運動，吾人可視之爲新文學運動之一環，亦是國語運動之一重要階段。其本意爲創造一簡單易識，便於平民學習之拼音文字。此固無可厚非，然其結果，不但動搖了漢字的地位且由於對注音字母之連帶攻擊，使民國二年才誕生的注音字母，在根基未固的情形下，顯得岌岌可危。吳氏在此緊要關頭，挺身而出，護衞漢字與注音字母。

吳氏批評一般音字製作者，視拼音文字之製作爲易事，以爲自得不傳之秘，實則此輩製作者，將拼音誤爲拼音文字，實際上二者相似而不相同。如古時婓尼基之爲「拼音」，希臘文爲「拼音文字」今之日本假名爲「拼音」，歐洲各國文爲「拼音文字」，即所謂蒙古文、滿洲文，皆「拼音」，並非「拼音文字」。（註八一）吳氏指出，惟其日本文爲拼音，故始終無法脫離漢文，因「拼音」而非「拼音文字」，一不能述高深學術，二不能爲契約。惟其拼音爲輔助文字之物，決不能代替文字；若以拼音強作文字，不但不能收文字之效用，弄到學術思想樣樣無可稱，便是那冒充文字之拼音，亦且漸漸

消滅，必至送到字紙簍裏完結。（註八二）

對於當時欲廢漢字，而採拼音文字之主張，吳氏一一批駁，皆認爲不可行。首先，對採用Esperanto以爲代用漢文之文字，吳氏以爲：「倘使做得到，眞是一種可以要得的東西」。（註八三）而對於人類未來是否能操同一種語言，寫同一種文字？吳氏對此亦持肯定之態度，表示「只有早晚的問題，決沒有否定的問題」。（註八四）然吳氏認爲，目前如先採定一種世界語，隨著世界進化，五十年後此世界語必將淘汰，而別有一更良好之世界語取而代之，是以目前不必多事。（註八五）他主張將世界語（Esperanto），以和平之方法傳佈、討論，凡相當的學校，皆當採做一種必修的附屬功課，但不必急於以之代替漢語。（註八六）

至於有人欲採用「歐母拼音之漢語」爲新文字，吳氏認爲，歐文固有之專有名詞、學術名詞、特別慣用語等，如雜取英法德意文來特別製造，勢必大費周章，爲省事起見，多半採自Esperanto。中國固有之專門名詞等，也就事同一例，採用Esperanto的拼合規則。所剩的一些普通話頭，卻採用語根與歐氏文字不容易相應的漢語，這又是什麼執拗的把戲呢？眞是「惡狗當路睡，人己兩不便」的辦法。（註八七）且以漢語拼音之後，一些文言文如「粤若稽古」、「惟初太極」，只能翻義，更不能翻音。（註八八）此外，廢掉漢字，改爲漢語拼音文字之後，爲要區別同音異義之字，不但增加製作的麻煩，且條例繁多，自在意中，如此，在在增加了平民學習此拼音文字之困難。吳氏並舉例說明，拼音文字不一定便利平民學習：

俄羅斯、西班牙，難道不是用拼音文字麼？何以說教育不良，不識字的百姓會有百分之七十五呢？難道二三十個字母，教他拼拼音，止是一半月工夫的事情，就沒有力量施這教育麼？這因爲成了一種文字，必定有許多條例，不是「拼音」兩個大字可以了事。所以弄到沒有力量，簡直生不出良教育結果，叫不識的人滿街走著。（註八八）

是以吳氏認爲，若單爲權且便利起見，儘管有比另造新文字簡易萬倍的法子可以用著；便是「先用漢字說起白話來，旁邊注著聲音符號；「太陽」與「腿癢」，「什麼」與「石馬」，都請漢文去分別。他們的聲音，就簡簡便便的用著無條件的符號拼起，豈不省事呢？」。（註八九）此種所謂無條例的符號，便是民國二年「讀音統一會」製定的注音字母。

據吳氏自言，其所以熱心於注音字母者有三故：

1.不能采英法德中一文爲第二國文，又不能用世界語，此時決無用漢語造拼音文字之必要，則漢文乃爲當前救急品。彼之缺點，本身無聲音可以自鳴，加注音字母助之鳴焉。彼之聲音，被各地讀成別異，使注音字母助之同焉。

2.借注音字母，可助三十年內之苦力教育。

3.有三十九通國讀成一律之音，而後凡有聲音上之爭點，可借此三十九音以相打，否則勉強牽用見溪群疑ABCD，往往可成誤會，故卽講古音者亦有取焉。如三十九外，因土音之故，再加閏音一倍，亦通行於全國，庶論述古今音皆可暢通無礙。（註九〇）

然吳氏何以主張注音字母與漢文不脫離?吳氏表示,其用意決非預防廢止漢文,其意乃欲使漢文幫助注音字母,使注音字母幫助漢文。(註九一)吳氏並進一步解釋,爲何能使漢文幫助注音字母?因凡學注音字母者,必皆爲粗俗不識字之人。凡稍通文義者,必皆不屑過問。如其通俗書報將注音字母脫離漢文而獨立,則此等書報,只便利不識字人,效用並不大。且萬一不識字人於一切名物但通其音,有時誤會其物,或竟不知其物,如注音字母旁有漢字,則可問於不識注音字母卻識漢字者。且既有漢文在旁,增添稍通文義者之興趣,可因漢字而無意中注音於注音字母。(註九二)吳氏復認爲,使無機會受教育而僅通注音字母者,亦能藉注音字母旁注漢文之法而習得漢字,以閱讀通俗書報(註九三),如此則爲使注音字母幫助漢文。

對於注音字母,吳氏經自問自駁,謹愼思辨達數十次,方得如下之觀念:

1. 注音字母不能成文字。其無論注於字旁,與離字獨立,皆不成文字。(註九四)蓋注音字母僅爲單純之拼音,非拼音文字也。

2. 隨地拼音爲必不可少之便法。吳氏認爲,三十年內,中國通俗教育是否成功,關係中國之存亡問題。而此通俗教育是否成功,又須靠隨地拼音之法。(註九五)因注音字母所拼之國音,僅能適用於少數通國音之人,其餘大多數之國人,若無注音字母助其拼土白(方言),藉以灌輸其最基本之國民智識,則其恐將無知無識以終老,故以注音字母隨地拼音,既有助於三十年內之通俗教育,是以爲今日中國之所亟需。

吳氏經數年之深思熟慮，其以注音結合漢字輔助平民教育之思想，已形成一完整之輪廓。十三年元月，吳氏在「東方雜誌」發表一長文—二百兆平民大問題最輕便的解決法，可謂此一思想最具體之說明。

吳氏認爲，在此時代中，各國相比，「止靠群衆智識」，如果還是「帶了無數智識蠢如鹿豕的老同胞，與世界各國相見，把別人每一國智識的總和，同我們敝國的智識總和，來比較一下，我們如何對得過世界呢？」。（註九六）吳氏並舉出上海大陸報所言「中國若照現在不識字人之數至十居其九。則人民決不能發生開明輿論，及管理國事。故今日中國根本問題，無有逾於平民教育」（註九七），而中國今日有失學民衆二百兆，故平民教育爲必須。

教育如何實施？吳氏以爲，利用書報文字傳佈，製作費用既小，輾轉流布，力量又大。（註九八）而依中國今日平民之環境，能識得漢字尤善，因目前採用音字，因難甚多，吳氏分析：照識字的速疾，漢字自不如音字……但他的短處，便是國語尚未統一，用一種音字，便通行甚難。……且識了音字的平民，將來止有音字書報，專爲他們做的，才得快讀；所有無量數的漢字書報，依然毫不能讀，……又高深智識，及契約記載，均非有音無別的音字所能擔任。……採用羅馬字母，做一種極有條理的音字出來，竟代替漢文……現在止能說，二十年內，決難實現。（註九九）

吳氏持此主張，故對當時主持平民教育者，能自漢字上想辦法，表示非常贊同。

五四運動之後，平民教育之思潮盛極一時，吳氏頗稱許當時之「平民千字課」，以之爲灌輸平民以漢文之最好教本。然指出當時之平民教育，不曾與注音字母合作，亦卽不曾達到最簡便的地步。因此主張，二百兆平民大問題最簡便的解決法，就是「使注音字母與平民教育的千字課合作」。（註一〇〇）

吳氏認爲，平民教育忘了與注音字母合作，乃爲了推行注音字母之人，不肯分類進行。因此指出，注音字母當分四大類：

1.中外音韻學家的注音字母。他們用不著注音字母。注音字母，只是他們極陋的參考品之一。（註一〇一）

2.希望製造音字家的注音字母。注音字母，是他們一張椎輪大輅的草稿，他們將來一定要另造適當的字母。（註一〇二）

3.統一國語的注音字母。這四十個注音字母，是專爲國語中的字音造的，它是對國音字典負責任。此一類目前推行甚力。（註一〇三）

4.平民留聲機器的注音字母。此處之注音字母，便不把它看做專注國音的東西。什麼聲音，都可用它來拼切，正似留聲機器，什麼聲音，用什麼刻痕留上去，它便還出那個聲音來。（註一〇四）於此便發生一疑問，任取一種字母，皆可當它作留聲機器看，爲何又要造注音字母呢？吳氏解釋說：

(1)注音字母較其他歐母爲適合。不用歐母，非但自有其蠢拙的應用，較歐母爲適當；而且亦有中國獨有之音如ㄓㄔㄕ，若用歐母，必於歐母上多添記號，卽亦不甚爽便。

(2)漢語改造音字之不當。以漢語改造音字，造字勢必用歐母，倘因注音之故，鹵莽滅裂，將歐母添損形式，至習慣而改正非易，豈不反爲後日之累？不如注音於蠢拙漢字之上，仍用一蠢拙之附屬物將來合法造字，界限較爲清楚。

(3)對於主張採用偏旁記號，注音字母亦較各家爲優。吳氏學例說明，當民國二年「讀音統一會」開幕之際，全國造成偏旁字母者，有數十家之多，最後還是採用注音字母。因注音字母採用完全簡單之字，聲音各有關係，其歷史上之立脚點，皆諸家所不能不俯首。（註一〇五）

對於注音字母，吳氏以爲不應脫離漢字獨立自成文字。因音字獨立，非但受蒼頡造字之嫌疑，爲老頑固所駭，而實際以拼音冒充文字，亦極可笑。且離開漢字而獨霸，實與平民漢文的環境無益。因之，漢字與注音字母絕對不可分開。吳氏且進一步的主張，儘可將所注國音，竟組入漢字之內，如天作天ㄊㄧㄢ（註一〇六），此爲注音漢字構想之濫觴。

吳氏前曾鼓吹隨地拼音之法，如今更大力提倡由方音而國音之「玉初路線（註一〇七）」，教人先學會注音字母以拼切土音，避免阻力，注音字母學會之後，國音自然會拼了。此舉乃對於推行注音字母於民衆，動遭白眼的情形，加以改善之法；反觀一般音字家未思及此。足見吳氏處處爲平民設想，是以其推行方法總能切合平民需要。

對於注音字母與平民千字課合作，究竟有何價值？吳氏認爲有以下數利：

1.增多傳習的方面：如目下之千字課，其人非自度能繼續數月，每次出席，便不能報名。而現在在一個月後，能使挾了音釋課本，在家中摸索；即使平日忙於生計，亦可任意自抽時間而至，踴躍報名者將多。如婦女不便出門者，附近有任何新畢業者，皆可權爲之師，以是增多傳習之機會。

2.減短教授之時間：今談千字課者，有六閱月可畢業之說。而教以注音字母後，因學生受教之際，字音不煩苦記，得專注於義解，則精神可用加倍，授課時間，可由六個月縮短爲四個月。

3.擴充漢文的字數：如將供給平民之書報，每個漢字左附方音，右附國音，除千字課之外，如兒歌、小唱、方俗、成語等，做成小册；故事、時事等，做成小報；千字外之漢字，皆仗注音逐漸輸教，自然擴充漢文學習之字數。

4.加添複習的機會：將通俗書報添加注音字母之方音音釋，以供平民閱讀，可使平民於千字課，有不斷複習之機會。（註一〇八）

最後吳氏並作結論，字母與漢文，離之則兩傷，合之則雙美，倚恃雙美，便可最輕便地解決二百兆平民大問題。（註一〇九）

綜觀吳氏之言論，其與主張拼音文字者，皆同抱平民教育之目的。然其較能從現實處著想，而指出後者之缺失，在於只知一味鼓吹音字，毫未顧及實際問題，如新拼音文字，如欲盡善盡美，勢必增加條例，反增平民學習困難。而對於一般主張音字者之輕視注音字母，而欲另創更完美之字母，吳氏一針見血的提出批判：

我國是一個共和國，內憂外患又很緊急，普及初等教育是救國的根本法子；這火燒眉毛時應急的注音字母，是普及教育的最好利器。……實在是四萬萬人的救星。既然有了救星，我們就要卽刻努力傳播起來；早傳播一天就早得一天的功效。若定要精益求精，密益求密的研究到極好，才肯把他傳播施行，到那時我們的頭已白了，齒已落了，老大的中華民國，已陷於莫可挽回之境了。（註一一〇）

由於吳氏之言論，對主張廢漢字及攻擊注音字母者，的確有棒喝之作用，使一般盲目主張拼音文字者，有一自省之機會。如文字改革辯論初期，部份人士竟然變成漫罵局面，至吳氏之文一出，才算沉沉靜靜來講理了。（註一一一）因吳文之份量不輕，影響力大，主拼音文字者，遂以其爲攻擊主要對象，然仍無損於吳氏主張之重要性。當時所有關於語文之書籍，除國語文讀本選了一篇吳氏之「補救中國文字之方法若何？」之外，其餘名家文章均未列入（註一一二）可見吳文地位之一斑。

後來漢字與注音字母終得不廢，雖由於社會保守勢力太大，反對拼音文字；然吳氏力倡漢字與注音字母合作，以促成平民教育之主張，同時亦維護了漢字與注音字母，吳氏之影響，亦不能不說是一重要原因。

第四節　支持白話與駁斥文言讀經

在漢字改革運動之同時，白話文運動也在「新青年」的鼓吹下展開，兩者分別從文字工具和文章體裁來改革漢文，同爲新文學運動的一環。

民國六年一月，胡適發表其「文學改良芻議」於「新青年」上，此爲文學革命的第一聲。（註一一三）他說：「以今世歷史進化的眼光觀之，則白話文學之爲中國文學之正宗，又爲將來文學必用之利器，可斷言也。（註一一四）」陳獨秀接著在下一期，提出「文學革命」以響應胡適。他們的主張，受到許多知識分子的贊同，並開始從事白話文寫作，從民國七年起，「新青年」完全改用白話文刊行，白話文以後改稱國語。（註一一五）胡適在他的「建設的文學革命論」上，提出「國語的文學，文學的國語」這個口號。他說：

我的「建設新文學論」的唯一宗旨，只有十個大字：「國語的文學，文學的國語」。我們所提倡的文學革命，只是要替中國創造一種國語的文學，有了國語的文學，方才可以有文學的國語。有了文學的國語，我們的國語，才能算得眞正國語。（註一一六）

這篇文章發表之後，「文學革命」和「國語統一」，遂呈雙潮合一之勢。（註一一七）五四事件後，白話文已被大多數的學生刊物所使用。民國八年十月，中國教育聯合會決議，要求政府將白話文提昇爲官話。民國九年秋天，教育部訓令全國國民小學一、二年級國文改爲白話文。三月，教育部命令小學各年級廢棄文言文。白話文的採用迅速地普及中學及高中。從民國九年到十年間，白話文已被視爲「國語」，同時，注音符號也在民國七年到八年間完成。（註一一八）這時，國語的運動已快成熟了，國語教育的需要已是被公認的了。所以當日代反切之用的注音字母，到這時候，就變成中華民國的國語字母了。

在此國語運動與文學革命雙潮合流之際，一向支持國語運動之吳氏，也表達了他對語體文（白話文）之觀感，認爲語體文較文言文爲優，他說：

> 同一本埠的社會新聞，現在京、津有幾家報紙用白話的，都覺得狀貌豐富，趣味濃深，叫人愛讀。而上海各大報的本埠新聞，卻是乾燥無味，屢屢有人要求改善。其實他內容並不缺乏材料，而是沿著三十年前遺傳的習慣，用幾句呆滯文言，做一個記帳式的報告，所以覺著乾枯。這種缺點，似乎正要請白話來增添字數，使他活潑。（註一一九）

吳氏認爲，描寫同一件事，白話字數並不見得多於文言，「有時平常記載，白話文言，字數儘能相等」，他並將九十七字之文言，以九十六字白話記出來，作爲證明。（註一二〇）

在白話文勢力正盛的時候，民國十一年，南京幾個留學生，創造一份「學衡雜誌」，他們極力反對「廢棄古文，獨尊白話」。在「學衡」創立之初，發佈簡章，即已明揭反對白話之旨。（註一二一）學衡派用以維護文言，反對白話的主要根據，乃是文學的藝術價值。如吳宓指出「無論文言白話，皆須精心結撰，凝鍊修飾，方有可觀。」根據此標準，學衡派對胡適等人鄙棄文言，獨尊白話的主張，提出了嚴厲的批駁。（註一二二）胡先驌即在「評胡適五十年來中國之文學」一文中，指斥胡適「強以文言爲死文字，白話爲活文字」之說的不當。他以爲文言與白話之分，不在一古一今，而只是同一文字的雅俗之別，因此，他不但認爲白話文學毫無文學價值，終必將歸於衰敗一途；甚至還爲桐城派古文極力辯護。（註一二三）其餘如曹慕管，吳宓、穀永等人，皆發表過類似見解。

但是學衡派只一味著意於文學之藝術標準，卻不知中國當時最需要的是平民教育，需要有大批平民看得懂的白話文書刊，他們忽視了社會的需要，難怪最後終歸失敗。

在反對白話文的人當中，地位最高，勢力最大的，要數章士釗了。章氏首於民國十二年八月，在上海新聞報發表「評新文化運動」，指出胡適倡白話文五年以來，致使中學畢業生「文言固是不佳，白話亦繳繞無以」。（註一二四）他認爲「今白話文之所以流於艱窨，不成文理，味同嚼蠟，去人意萬里者，其弊卽在爲文資料，全以一時手口所能相應召集者爲歸，此外別無工夫」。（註一二五）所以他評斷白話文之寫作，乃是「以鄙倍妄爲之筆，竊高文美藝之名，以就下走壙之狂，隳載道行遠之業」。（註一二六）

民國十三年十一月二十四日，代表反國語勢力的章士釗就任司法總長，那時新任教育總長王九齡尚在海外，頗聞有章氏兼職的呼聲，國語運動者恐怕由此對國語勢力產生重大的打擊，遂布了三道防線：第一道防線—白話文；第二道防線—國語教科書；第三道防線—教育法令。（註一二七）而章氏居然於民國十四年四月十五日兼任教育總長，國語統一籌備會頗有取消之虞，於是黎錦熙和章士釗談判，雙方妥協，章氏容許推行白話文及注音字母，但只限於小孩子和平民爲範圍（註一二八），由此，雙方取得了暫時的和諧。

民國十四年七月，章氏創辦的「甲寅雜誌」創刊，以反對白話文爲其宗旨，並在廣告裏說：「文字須求雅馴，白話恕不刊布」。（註一二九）由於章士釗的地位和影響力，當時引起很大的騷亂。國語界人士，遂辦了「國語週判」以資對抗，聲明不收文言，其撰述者有吳稚暉、胡適等人。（註一三〇）吳稚暉對章氏之倒行逆施，十分痛恨；國語界的人也認爲當時事態嚴重，須請這個「吳老將」，上場來打老虎（甲寅封面畫隻老虎）。（註一三一）於是吳稚暉便披掛上陣，在「國語週刊」上發表了「友喪」。他在文中以其詼諧的口吻說道：

章先生近來的反動，拿腐敗的理論來批評他，必是年來半夜裏散局回家，路上撞著徐桐剛毅的鬼魂附在他身上，所以不由他作主，好似同善社、悟善社的人們天天在乩盤裏說話了。不然，他也是一個自負經天緯地的朋友，到了這種亡國破家的時候，什麼軍國大事，尸了什麼國務員位子，應該破工夫去襄贊籌畫；他竟吃飽了飯，來把幾個冷僻死字，去替代了一看便懂的活字，瘋頭獃腦，自命是釐正文體；恐怕便是村學究對著他，也嫌他不合時宜罷。（註一三二）

本文最後並附一報喪之告白，宣告章氏之死訊。蓋覺章氏如此倒行逆施，雖生猶死。其內容如下

不友吳敬恒等罪孽深重，不自殞滅，禍延敝友學士大府君：府君生於前甲寅，痛于後甲寅無疾而終。不友等親視含歛，遵古心喪。旣（非苦）塊昏迷，不便多說。哀此訃聞。

（所謂罪孽深重者，乃記實，因一班朋友不長進，于國事不能積極前行，弄得章先生憤悱無已走投無路，從而反去走進牛角裏，彎到十八層幽谷也）。（註一三三）

其語雖出之滑稽，然吾人亦可深體其深痛好友誤入歧途之心也。

後來吳氏在其所撰之「章士釗—陳獨秀—梁啓超」一文中，更仔細分析章士釗復古心態形成之緣由，並指出其錯誤之所在：

其實章先生全般政策，就是……叫做敦詩說禮，孝弟力田。……章先生的用心良苦，惟他的處方，似乎太謬，時代大錯誤之毛病，由於不知循環的道理是走螺旋圈，因而害到不能救藥也。……經歐戰後，因所有全世界的政黨議會，愈加顯著畸形，露出敗象。章先生便一眼認定，以爲必定是開倒車的復古循環，這種看對了前提，弄錯了結論，毀了一個大政論家，眞是人才不經濟。那種敦詩說禮孝弟力田式的人生，止在半開明的專制帝王下，才能穩定，乃是陳而又陳，永棄在古代歷史料裏的芻狗，如何再社會主義發生後，出現於活人世界呢？（註一三四）

吳氏並指出，章士釗與梁啓超一樣，所以不走正當道路，想開方便法門，越開越上死路，就他良心好的一方面說，無非是章氏以爲這十四年來鬧得如此，那是走錯了路。章氏認定的正路，還是「中學爲體，西學爲用」。但是歷史上的事實，卻告訴我們，十四年不能完成一改革，算不了什麼久長，而章氏卻以此而否定共和，而走上復古的道路，實在可笑。（註一三五）

除了吳氏之外，胡適、魏建功等人，亦紛紛發表文章，駁斥章氏之讕言。唯章氏似乎一意孤行，竟於十月三十日召開部務會議，決定「自初小第四年起讀孝經」。如此一來，白話文勢力遂遭打擊，文言文又有在初小復活之勢。所幸忽逢十一月二十八日北京市民大暴動，促成章氏之辭職，停止了其

打擊白話文的努力，國語運動推行者也暫時舒了口氣。（註一三六）

但是，白話文的反對勢力始終存在著。當時孫傳芳以興復禮樂之名，特舉行投壺古禮，和以古樂；湖北兼省長陳嘉謨下令恢復古書院；公民楊鍾鈺等呈請孫傳芳，小學特重讀經與國文，禁用白話；同時奉省已嚴令小學讀經；魯省小學也嚴令禁止白話文；直隸省長褚玉璞也特頒訓令，自小學以上，一律添加讀經一科；而吳佩孚在路過邯鄲之時，竟在烈日中領導士兵及歡迎民衆、學生等，同唱自作之「關聖訓世眞經歌」等數首歌，歷四十分而無倦色。（註一三七）凡此種種，皆是一些志欲復古的軍閥，對國語運動之開倒車行爲。

對於這批人的反動行爲，吳氏有極精闢的分析：

那種文言讀經的反動，除了幾個開倒車的輯輯先生外，何以提倡國語的，倒是一班懂得國故的朋友，保護文言的，倒是一班素不識字的闊人？上將軍、督辦、商會會長，都抱了文起八代之衰的熱心？（註一三八）

他指出，這是因爲這批人做壽、開弔寫的文及記功碑、墓誌銘，用古文寫較合式，所以緊抓古文不放。（註一三九）他並分析他們反對國語（白話文）的心理：「從古以來，闊人最恨的，是民衆會開口，國語乃是供給民衆開口的工具，如何不相枘鑿呢？」（註一四〇）是以他奉勸章士釗，以及其他提倡文言讀經的人，早日迷途知返（註一四一）雖然吳氏知道這些人很難因此而悔悟，但他還是苦口婆心，爲國語運動而盡其一份言責。

【附　註】

註　一　李中昊，國語史實撮要，收於李中昊編，文字歷史觀與革命論（北平，文化學社，二十年五月初版），附錄㈣，頁五六一。

註　二　黎著史綱，頁六三。

註　三　黎錦熙，三十五年之國語運動，頁九七。

註　四　黎著史綱，頁六七；其簡章及徵求會員書見新青年三卷第一號，頁一〇三—四。

註　五　同註三。

註　六　同註三，頁九八—一〇〇。

註　七　同註三，頁九九、一〇二。

註　八　教育部訂定國語統一籌備會規程，教育雜誌十一卷二號（民八年二月二十日），法令欄，總頁一四八一九。

註　九　方師鐸，五十年來中國國語運動史，頁三八。

註一〇　第一次中國教育年鑑（台北，宗青圖書公司出版），丙編，教育概況，第二、社會教育概況，第二章、推行注音符號，第一節、沿革，頁五九一—二。

註一一　教育部公布注音字母令（教育部令第七五號），國語教育法令彙編（台北，國語日報社印行，七十一年十月十日），國語教育法令摘要（台灣省國語推行委員會編印，三十五年三月），頁一六。

註一二　陳懋治，國語統一問題，頁一九八。

註一三　黎著史綱，頁八三。

註一四　胡適，五十年來中國之文學，見胡適編，中國新文藝大系，文藝論戰二集（台北，大漢出版社，六十六年五月三十一日出版），頁八三八。

註一五　黎著史綱，頁八六—八；一見方毅，國音沿革，頁一三。

註一六　黎錦熙，三十五年來之國語運動，頁九二—三。

註一七　黎著史綱，頁八九、九〇。

註一八　同註一六，頁九四—六。

註一九　方師鐸，五十年來中國國語運動史，頁四六—七。

註二〇　黎錦熙，錢玄同先生手傳與手札合刊（台北，傳記文學出版社，六十一年出版），頁九。

註二一　同註一九，頁四八；一見黎著史綱，頁九七。

註二二　張士一先生論標準語，國語週刊第八十六期（二十二年五月二日），頁一七九—一八〇。

註二三　國音問題（原載民九年十一月廿八日「時事新報—學燈」），吳全集卷五，頁一七八。

註二四　同註二三，頁一七八—九。

註二五　同註二三，頁一七九。

註二六　民國九年八月，第六屆全國教育聯合會在上海開會，響應張士一之主張，議決「請教育部廣徵各方面意見，定北京音爲國音標準；照此旨修正國音字典，卽行頒布。」同時江蘇全省師範附屬小學聯合會開會於常州，亦通過一議案，不承認國音，主張以京音爲標準音。見黎著史綱，頁九六—七。

註二七　同註一九，頁四九。

註二八　黎著史綱，頁一〇二—三。

註二九　同註二八，頁九九。

註三〇　趙元任，語言問題（台灣商務印書館，六十六年四月三版），第五講「四聲」，頁五五。

註三一　謝雲飛，聲韻學大綱，頁四五。

註三二　黎著史綱，頁九一；一見卓文義，民初之國語運動，頁七四。

註三三　四聲實驗錄序，吳全集，卷五，頁八一四。

註三四　致群報記者書，吳全集，卷五，頁一九七。

註三五　同註三四。

註三六　同註三四。

註三七　黎著史綱，頁九二—三。

註三八　張玉法，中國現代史（台灣東華書局，七十二年八月六版），上册，頁二七八。
註三九　同註三八，頁三〇七—八。
註四〇　同註三八，頁三〇八—九。
註四一　據張玉法先生之說，以代替一般所謂之「五四運動」、「新文化運動」等名詞，同註三八，頁二五三。
註四二　劉紀曜，評介林著「中國意識的危機」，收於張玉法主編，中國現代史論集，十之六（台北，聯經出版公司，七十年十二月初版），頁八〇—一。
註四三　錢玄同，論注音字母，新青年四卷一號（七年一月十五日），頁五。
註四四　錢玄同，Esperanto，新青年四卷二號（七年二月十五日），頁一七七。
註四五　本表係由李中昊編，漢字問題論文目錄所摘錄，收入李中昊，文字歷史觀與革命論（北平，文化學社，二十年五月初版），附錄，頁六〇四—六一六。
註四六　傅斯年，漢語改用拼音文字的初步談，新潮，一卷三號（8、3、1），頁三九二。
註四七　杜子勁，中國新文字問題，收入李中昊編，文字歷史觀與革命論，頁四九二。
註四八　同註四七。
註四九　同註四七，頁四九四。
註五〇　錢玄同，中國今後之文字問題，新青年，四卷四號（7、4、15），頁三五〇。

註五一　黎錦熙，全國國語運動大會宣言，收入李中昊編，文字歷史觀與革命論，頁三六三。
註五二　同註四七，頁四九五—六。
註五三　同註五〇，頁三五一。
註五四　同註五三。
註五五　同註五一，頁三四七—九。
註五六　同註四七，頁四八八。
註五七　同註四七，頁四八九—四九〇。
註五八　錢玄同，漢字革命，見于國語月刊漢字改革號，收入李中昊編，文字歷史觀與革命論，頁一四六—七。
註五九　同註四七，頁四九〇。
註六〇　同註五八，頁一五五。
註六一　同註五六，頁一五五。
註六二　胡適，答藍志先書，新青年，六卷四號，討論欄，頁四七二。
註六三　傅斯年，漢語改用拼音文字的初步談，新潮，第一卷第三號，頁三九二。
註六四　同註六三，頁三九七。
註六五　同註六三，頁三九八。

註六六　杜子勁，中國新文字問題，收入李中昊編，文字歷史觀與革命論，頁五〇二。

註六七　同註六六，頁五〇一。

註六八　錢玄同，減省漢字筆畫底提議，新青年，七卷三號，頁一一一。

註六九　同註六八，頁一一二—三。

註七〇　何仲英，漢字改革的歷史觀，收於李中昊編，文字歷史觀與革命論，頁一九〇。

註七一　同註六六。

註七二　邢島，改革文字之意見書，東方雜誌九卷七號（民元年十二月）。

註七三　蔡元培，蒞世界語學會演說詞，經世文社編，民國經世文編（台北，文星書店，五十一年六月一日出版），教育類，總頁一一〇七。

註七四　見新青年四卷二期、四卷四期、六卷一期、六卷二期。

註七五　見東方雜誌十九卷十五號，頁七七—九六。

註七六　同註六三，頁三九四。

註七七　錢玄同，高元國音學序，教育雜誌，十四卷三號，總頁一九五五八。

註七八　錢玄同，漢字革命，收於李中昊編，文字歷史觀與革命論，頁一七二。

註七九　同註七八，頁一七四—五。

註八〇　黎錦熙，高元國音學序，教育雜誌十四卷三號，總頁一九五六四。

註八一　吳稚暉，補救中國文字之方法若何，新青年五卷五號，頁四八七—九一；另見吳全集卷五，頁一五五—八。

註八二　同上文，新青年五卷五號，頁四九一；吳全集卷五，頁一五九。

註八三　同上文，新青年五卷五號，頁四九三；吳全集卷五，頁一六一。

註八四　同註八三。

註八五　同上文，新青年五卷五號，頁四九六；吳全集卷五，頁一六三。

註八六　同上文，新青年五卷五號，頁五〇一—二；吳全集卷五，頁一六八。

註八七　同上文，新青年五卷五號，頁四九八—九；吳全集卷五，頁一六五—六。

註八八　同上文，新青年五卷五號，頁四八五；吳全集卷五，頁一五四。

註八九　同註八八。

註九〇　吳敬恒，論注音字母書，教育雜誌十一卷三號，頁四一—四二，總頁一四八七七—八。

註九一　同註九〇，頁四二，總頁一四八七八。

註九二　同註九一。

註九三　同註九一，頁四三—四，總頁一四八七九—八〇。

註九四　同註九一，頁四〇，總頁一四八七六。

註九五　同註九一，頁四八，總頁一四八八四。

註九六　吳稚暉，二百兆平民大問題最輕便的解決法，東方雜誌，第二十一卷二號（二十週年紀念號—下册），總頁五七四二六；吳全集卷五，頁二四二。
註九七　同註九六。
註九八　同註九六，東方雜誌二十一卷二號，總頁五七四二七；吳全集卷五，頁二四四。
註九九　同註九六，東方雜誌二十一卷二號，總頁五七四二七—八；吳全集卷五，頁二四四。
註一〇〇　同註九六，東方雜誌二十一卷二號，總頁五七四二八—九；吳全集卷五，頁二四五。
註一〇一　同註九六，A東方雜誌二十一卷二號（以下簡稱A），總頁五七四三〇；B吳全集卷五（以下簡稱B），頁二四七。
註一〇二　同上文，A、總頁五七四三〇；B、頁二四八。
註一〇三　同上文，A、總頁五七四三一—二；B、頁二四九—二五〇。
註一〇四　同上文，A、總頁五七四三二；B、頁二五〇—一。
註一〇五　同上文，A、總頁五七四三三—四；B、頁二四二。
註一〇六　同上文，A、總頁五七四三七—八；B、頁二五七。
註一〇七　玉初路線爲清末勞乃宣（字玉初）所創，主張先讓各地不懂國音（官音）之平民，先學會以簡字拼切方音，及簡字旣熟，再教其拼切官音。
註一〇八　同註一〇六，A、總頁五七四四一—二；B、頁二六二—四。

註一〇九　同上文，A、總頁五七四四八；B、頁二七一。
註一一〇　吳稚暉，草鞋與皮鞋，吳全集卷五，頁二九一。
註一一一　杜子勁，中國新文字問題，收入李中昊編，文字歷史觀與革命論，頁四八一。
註一一二　同註一一一，頁四八五。
註一一三　周策縱著，楊默夫編譯，五四運動史（台北，龍田出版社，六九年五月初版，頁四一一。
註一一四　胡適，文學改良芻議，胡適主編，中國新文藝大系，論戰一集（台北，大漢出版社，六九年一月），頁八五。
註一一五　同註一一三，頁四一三—四。
註一一六　胡適，建設的文學革命論，新青年四卷四號，頁二九一；又見周策縱，五四運動史，頁四一四；一見黎著史綱，頁七〇。
註一一七　黎著史綱，頁七〇。
註一一八　同註一一三，頁四一五。
註一一九　吳稚暉，也是一個雜感，吳全集，卷二，頁四九。
註一二〇　同註一一九。
註一二一　沈松僑，學衡派與五四時期的反新文化運動（台北，台灣大學出版委員會，七十三年六月初版），頁一五二。

註一二二　同註一二一，頁一五三。

註一二三　同註一二二。

註一二四　章士釗，評新文化運動，收入胡適編，中國新文藝大系，論戰二集（以下簡稱「論戰二集」），頁五五三。

註一二五　同註一二四，頁五五九。

註一二六　同註一二五。

註一二七　黎著史綱，頁一三一—二。

註一二八　同註一二七，頁一三三—四。

註一二九　胡適，老章又反叛了，收入論戰二集，頁五六五。

註一三〇　同註一二七，頁一三五。

註一三一　健攻，打倒國語運動的攔路虎，收入論戰二集，頁六七〇。

註一三二　吳稚暉，致國語週刊記者—友喪，收入論戰二集，頁五六八；又見吳敬恒著，吳敬恒選集，書信（一）（台北，文星書店，五十六年十月二十五日），頁一三一—二。

註一三三　同上文，論戰二集，頁五七〇；又見吳敬恒選集，書信（一），頁一三三。

註一三四　吳稚暉，章士釗，陳獨秀，梁啓超，收入吳全集，卷十，頁一六一一。

註一三五　同註一三四，頁一六一五—六。

註一三六　黎著史綱，頁一四四、一四五、一五二、一五五。
註一三七　同註一三六，頁一五六。
註一三八　吳稚暉，國語日報封面談，黨史會編吳稚暉先生選集，下册，頁一八九。
註一三九　同註一三八。
註一四〇　同註一三九，頁一九〇。
註一四一　同註一四〇。

第五章　奠定國語運動推行基礎

民國十七年全國統一，七月十二日，大學院院長蔡元培組織國語統一委員會，是年秋，大學院仍改稱教育部，國語統一委員會也改名「國語統一籌備委員會」（簡稱國語統一會），並由部聘吳稚暉爲主席。（註一）民國二十四年，教育部令改國語統一會爲國語推行委員會，仍聘請吳氏爲主任委員（註二），直至大陸淪陷，領導國語運動達二十年。事實上，吳氏早於民國二年讀音統一會閉幕後，卽以個人身份從事於國語運動，本章主旨，卽在探討吳氏於此三十多年中，所從事之各項國語運動推行工作。

第一節　國語字典之編纂

吳氏在清末卽曾與友人陸爾奎通信，討論字典之編纂問題，當時尚無一官定拼音字母，是以吳氏尚主張以漢字爲反切字，以拼切字典之字音。並認爲字典編成後，一方面有「注字易識之樂」，另一

方面「於言語統一上必有大助」。（註三）

民二年讀音統一會結束後，將所有議決之國音，輯成「國音彙編草」一本，交教育部存案，然爲教育部束之高閣。（註四）民國六年七月，吳氏在上海，教育總長范源濂撥款請其編印國音字典。吳氏因報社（註五）工作尚不甚忙，於是毅然應允，乃按讀音統一會所輯之「國音彙編草」，依康熙字典部首之排列，編制字典，定名爲「國音字典」。（註六）該字典除已審定之六千五百餘字外，並將未及審定而不可缺之字；或一字只定主要字義而未及審定其他字義者，皆取已審之字，準音而注，約又增加六千餘字；再加上俚俗及科學新增之字六百餘，共計一萬三千多字。（註七）草稿既成，吳氏於民國七年冬，從上海携此稿本至北平。當時陳懋治受教育當局之囑，邀集吳氏、錢玄同、王璞、馬裕藻等，在其家開審查會，經兩晚會餐討論，乃修正決定。此爲中國確立國語字音標準之始。（註八）遂一面交商務印書館從速印行，一面促教育部組成國語統一籌備會從事校訂。民國八年九月，「國音字典」初印本出版（註九），但直至民國九年十二月二十四日，才由教育部正式公布。從此「國音字典」做了全國讀音的標準凡十二年，直到民國二十一年才正式廢止。（註一〇）

吾人以現在觀點來看吳氏所編之「國音字典」，缺點甚多。如字典上只載字音而無字義，在一般人欲由字典查尋字義時，往往大失所望。（註一一）又如字典係以讀音統一會多數所議決之普通音爲根據，與北平音並不完全相合（註一二），令人讀來總覺有些蹩扭。但是，吾人應知道，吳氏之編撰國音字典，係爲讀音統一會公決之國音留下記錄，無此國音字典，讀音統一會等於白開了。當時全國語言亟需統一（註一三），雖有注音字母，但吳氏認爲「統一關鍵，在國音字典」（註一四），必須先在國音字典中，立一國音之標準，以便民衆查考遵循；否則字音漫無標準，一切言語統一之想法皆是空談。當時書成之後，雖招致不少批評，但是，若無吳氏當初發憤編撰，則不可能有後來多次修訂，精益求精之國語字典。

民國十二年，教育部國語統一籌備會第五次常年大會，組織了一個「國音字典增修委員會」，並於民國十四年，推舉錢玄同、黎錦熙等六人爲起草委員，逐字逐音，逐日會議，到民國十五年，才草成十二大册稿本。（註一五）民國十七年，吳氏任國語統一會主席後，設立「中國大辭典編纂處」，由其計畫書中可以看出，此一大辭典之編纂，確爲我國當時社會所需要：

不但全國各學校教授語體文及會話時，需要此種辭典，檢查國語之標準詞頭，以免義訓不明或方言摻雜之弊……又下之在全國民衆教育上，尤亟待此項辭典之編成。（註一六）

「大辭典編纂處」之組織，分爲五部十五組。預計編纂的有國音大字典，中國大辭典、中國百科大辭典、各專科大辭典，及其他國語普通辭彙、學生辭典等。據編纂處的報告，關於普通辭彙的材料，至民國十七年底剪貼工作完畢，前後所蒐集辭數，共約二十八萬兩千餘片。（註一七）因整個計畫工程浩大，非短時間內所能完成，故先將較常用之字編輯成書，以應急需，遂就原有於民國十五年草成之稿本刪定，計得一萬兩千兩百餘字，編成「國音常用字彙」。（註一八）吳氏特致函教育部，請公布「國音常用字彙」，並交各省市商務印書館發行，以便各界購用（註一九），教育部遂於民國二十一年五

月七日，公布「國音常用字彙」。（註二〇）

民國以後，社會上一般作詩詞及各種韻文者，仍多用舊韻，已與標準音不合，是以「國語推行委員會」（簡稱國語推行會），決議將公布之「國音常用字彙」，編定爲依韻排列之韻書，定名爲「中華新韻」（註二一），由教育部於三十年九月二日公布。（註二二）

此外，「大辭典編纂處」又出版了「增修國音字典」、「國音分韻常用字表」、「北平音系十三轍十三卷」（又名「北平同音小字典」）、「北平音系小轍編」（又名「北平儿化字彙」）、「民衆辭典」、「國音普通辭典」等（註二三），對於民衆，實在是方便不少。

綜觀吳氏在國語字典之編撰方面，實已居先知先覺地位，其早在「新世紀」時期，對於官音字典，就已勾畫出一幅初步之藍圖。他主張，官音議定之後，寫成字典，作爲小學讀本注音之依據，由此可統一全國學校之官音。他並且指出，字典部首之查檢，最便之法，乃採取音母順序排列法（如按ㄅ、ㄆ、ㄇ之順序查檢）。（註二四）

民國初年，吳氏在人力、物力皆非充裕之情況下，以個人之力完成草稿，從而編定近代第一部國音字典。吳氏之所以如此不辭勞瘁，蓋因其深覺中國語言複雜，妨礙國家統一，須極力提倡國音，統一國語，從而消除省界，使國家強盛。（註二五）吳氏曾多次提及，統一國音，其關鍵在於國音字典（註二六），是以吳氏之編撰國音字典，蓋有其深意在焉。

此後之國音字典，經過多次修訂，漸趨完備。如國音常用字彙，即採用依音排列檢字法，不再用部首檢字法及筆畫號碼檢字法。又新定化學原素及萬國度量衡的讀音，並增添許多新詞彙，將注音字母與國語羅馬字並注等等，然推源溯始，吳氏首倡之功仍不可沒。

第二節　語文研究之科學化

吳氏早年深究文字聲韻之學，便已將中國舊籍之音、義做過一番整理工夫。（註二八）後來受西方科學進化思潮之影響，極力提倡科學主義。「讀音統一會進行程序」，是其首次將科學方法應用於國語運動。（註二九）後吳氏出任國語統一會主席，亦同樣致力於以科學方法從事國語統一工作。

民國十九年一月十二日，國語統一會在北平舉行第一屆年會，吳氏決定此一委員會任務之特點如下：

1. 統一：如規定標準之國音，採定標準的語詞和語法之類。
2. 立法：如議定閏音字母及關於國語文字上各種符號，編定通行的字典辭典之類。
3. 審查：如審定關於國語國音的圖書，視察糾正國音的教學之類。
4. 文獻：如關於國語史料的徵集、調查、整理、陳列、統計、表彰等工作。（註三〇）

以上數項工作，如議定閏音字母，及國語文字上之各種符號，國語史料之調查、統計、編定辭典等……，在在都需要以科學方法去分析、歸納，並需應用文字、聲韻、語音學之專門知識。吾人從吳氏所領導的語運推行機構之成員來看，個個皆是學有專精，誠一時之選。如魏建功長於古今方言，對韻書、字典亦均有研究（註三一），黎錦熙精研國語文法（註三二），錢玄同長於以科學方法研究文字、聲韻學（註三三），劉復研究文法，對四聲實驗及方言之調查甚有心得（註三四），趙元任在語言研究及語音實驗方面亦斐然有成。（註三五）是以在吳氏及這些委員的努力之下，把中國近代的語文研究，提升到一個新的境界。我們可以舉中國大辭典編纂處的工作爲例。

國語統一會成立後，將原來之「國語辭典編纂處」改名爲「中國大辭典編纂處」，準備編纂辭典，「給四千年來的語言文字和它所表現的一切文化學術等等，結算一個詳密的總帳」。（註三六）該處把工作之程序，分爲蒐集、調查、整理、纂著、統計五部：

一、**蒐集部**—專就古今中外各種字書、專籍、報紙等蒐集材料。其方法或譯述、或鉤乙、或剪貼、或迻錄。每詞爲一卡片，所有古今單字及連綿兩字以上之複合詞或成語，概行採集，務求得其本始，明其流變。本部之下分字典組、書報組。（註三七）

二、**調查部**—制定調查之條例及表式，分別調查全國之語言。其下再分三組：

㈠方言組—依各地不同之方言，分全國爲若干區，每區委託專任調查員一人，限期調查完畢。

㈡語音組—用儀器實測方言中各詞之音調等，用語音符號記出。

㈢專名組—就方俗及某種職業，調查其所用之專名，繪圖記出。（註三八）

三、**整理部**—隨時將上兩部所得之材料，分別整理，其下再分三組：

㈠字母組—用國音字母（兩式兼用）拼成名詞，順第一式四十字母之次序排列，各詞之第二母以下，皆依第一式順序排列；拼音相同之詞，再依四聲次序排列；聲調相同之詞，再依漢字形體，酌定次序排列。成書時，再依羅馬字母之普通次序製附索引。

㈡部首組—暫依康熙字典部首排列（惟部首須略為併省，並改良其順序）；一面徵集並研究漢字檢查之最便利的方法。

㈢義類組—就名詞之意義，分別歸類。（註三九）

四、**纂著部**—依上三部工作之結果，按照辭典體例，陸續編纂，再分五組：音典組、普通辭典組、中外對照辭典組、專科辭典組、百科大辭書組。（註四〇）

五、**統計部**—此係中國大辭典之附帶工作，其下分二組：

㈠詞彙組—採定若干書報，記出各詞出現之次數，再加統計，分別其「常用」、「間用」、「罕用」等，編定詞彙，以供普通教育、民衆教育用書選詞之標準。

㈡圖表組—就調查所得之材料，用種種統計方法，製成各種圖表，例如方言分布圖、方言比較表等等。（註四一）

自民國十七年中國大辭典編纂處展開工作後，至民國廿一年，四年之間已蒐集書報約三百六十種，作成卡片一百八十萬張。（註四二）關於辭彙之蒐集，國語統一會一向不遺餘力。劉復曾公開徵求「打」字之別用，結果三個月內就蒐集到六、七千條（註四三），其他像何容、黎錦熙、趙元任等，經常在「國語週刊」上發表其對文法及語音學之研究成果。（註四四）不過，此一時期內，最有成就的工作，當數方音之調查。

吳氏早於「讀音統一會進行程序」中，即指出須於注音字母之外，更定閏母若干，拼切各地之土音，以補注音字母之不足。（註四五）民國八年，國語統一籌備會開成立會，吳氏發表談話：

若不以閏標兼示方音，則注音音標（即注音字母），必被一般社會視爲一種古董，甚而至於無從使一般社會知有其物。故必藉閏標相助之力，令注音正標連帶普及於多數，使與國音有接近之機會，而後國音推行之道路增廣。（註四六）

然而閏音之製定，須俟全國之方音調查完竣，比較方音與國音之異同後方能著手。國語統一會成立後，派出各語言專家赴各地調查方音。如白滌洲、劉半農至綏遠、陝西調查方音（註四七）；趙元任、楊時逢除了到湖南各縣調查方音外（註四八），又到浙江地區調查吳語方音。（註四九）他們作方音研究時，要先審查方音之音素，繼而考求其音變，最後再以音標描寫方言中之語音。這些，往往要用到語言學、聲韻學、訓詁學的知識和方法，加以比較和分析，始能完成工作。

經過數年的方音調查，國語統一會在民國二十一年發表趙元任所訂的「注音符號總表」。在國音符號外，添了許多閏音符號，作爲民衆讀物中注方音之用。（註五一）但注音符號總表係委員趙元任個人所擬，未經開會決定，是以「國語推行會」，在民國二十九年成立「全國方音注音符號修訂委員會」，並於民國三十二年三月，舉行全國方音注音符號修訂會，議決通過「中國語音分析符號總表」及「方音注音符號」。（註五二）閏音符號（方音符號）製成後，吳氏「以閏音幫助國音之推行」的願望，自然就水到渠成了。

吳氏所主持的「國語統一會」，不僅在統一國語、改善語文教育工具上有重大之貢獻，同時也把我國語言文字的研究，領到現代科學的道路，發音學理的闡明，方音的調查，聲調的實驗，歸納比較的文法語法探討，源源本本的辭類研究，統計測驗的常用字研究，都採用了精密的科學方法。有了這些專家研究的成果，中國才產生出近代的文字，語言、文法等科學，教科書、辭典、字典的編輯，語言文字的教育方法，才走上科學的路。（註五三）無怪乎梁容若讚譽吳氏，在語文科學的專門研究上，他雖不自名於一家，但卻是個開風氣的人。他開導了學術的方向，指示了前進的途徑（註五四），使國語運動在學理與實用上皆能齊頭並進，從而奠下良好之基礎。

第三節　國語師資之培育

清末，由於張之洞等人之倡議，早將官話列入師範學堂課程，此為國語師資培育之濫觴。（註五五）宣統三年四月，各省教育總會聯合會，議決了「統一國語方法案」，其中規定：「於京師設國語傳習所，……通飭各地方師範學堂派員學習，畢業後各回本地方傳習，由師範學堂推之小學。」（註五六）

民國三年，注音字母製定後，王樸在北京設立「注音字母傳習所」。民國七年，召開全國高等師

範會議，議決：高師附設國語講習科，以養成國語教員爲宗旨。（註五七）

民國九、十年間，教育部曾開辦過四次的國語講習所，畢業之學員中，原來在中學教國文的，不在少數。他們都學會注音字母，對於以國語來教學，可說便利不少。但這些人，畢竟在國文教員中佔著極少數，雖有些人努力於輾轉傳授，但收效甚微。（註五八）各學校雖也知道國語教學的重要，可是人材難得，所請教員，僅僅是各地國語講習所畢業的學員，於各科教育，並不相侔。是以各學校雖有「國語」一門，彷彿將注音字母當做外國文字，以至於教各科和語體文的，仍然是方音雜出，小學生無所適從，就是所教國語，亦是一傅衆咻的毫無成效。（註五九）當時一般推行國語運動的人，都認爲應有一常設的國語教育機關，於是在國語研究會及江蘇省教育會推行國語委員會之促成下（註六〇），由吳氏出面，向商務印書館建議創辦上海國語師範學校（註六一），獲得首肯。

商務印書館董事會答應借用校舍，代墊用款（註六二），遂設校於上海天通菴路。其校董有高夢旦、王顯華、黃炎培、王雲五、汪怡、黎錦熙，吳氏擔任校長，請方毅任教務長（註六三），並聘請講師李夢明、齊鐵恨、易韋齋、嚴工上、吳研因、沈雁冰、鄭振鐸、周越然等十二人。（註六四）

吳氏設校之宗旨有五：㈠專爲已經學習國語，再求深造，養成專門國語人才而設高等科。㈡專爲現任或曾任小學教員及師範畢業生預備而設普通科。㈢專爲小學教員與中學師範生，利用假期研究國語，而設短期講習科。㈣專爲各界業餘人員補習，而設補習科。㈤專爲失學幼童青年而設平民學校，以補助教育之普及，並供該校師範生實地教習。每科以五十人爲一班，每日授課三小時，研習二小時，

自修一小時，除高等科規定六個月畢業外，其餘爲三個月畢業。（註六五）

民國十三年二月二十日，學校開學，吳氏兼教「國語概論」，每星期四舉行公開演講一次，校外聽者甚衆，暑期中並舉行夏季國語運動，擴充民衆夜班，全校出發遊行演講，晚上各人提著燈籠，先生手擎大旗前導，女士則有汽車卡車乘坐，沿途呼號，聲徹雲霄，推行國語運動達於高潮。（註六六）

上海國語師範第一批畢業生四十八人，另外還有台灣到滬居民如李萬居、陳祺昇、陳其昌、蔡公鐸、陳肇楨等二十人，均在該校學習國語。（註六七）此外，並發行「語聲」報紙，吳氏且爲其頒發祝詞（註六八）以資慶賀。而且該校學生家境困難者，吳氏並爲之向其家鄉中請補助（註六九），可見其愛護學生與熱心國語運動之一斑。

民國十五年，吳氏與一群熱心國語教育的人，成立全國國語教育促進會，以民間機構之身分，協助政府，促進國語教育。由蔡元培任會長，吳氏與張一麐任副會長。（註七〇）

國語教育促進會，將全國劃分爲四大國語學區，於民國十六年，先在第一國語學區中心地──上海，開辦第一國語師範學校，其所辦各科，分列如後：

科別	時限	所辦屆數
1. 高級國語師範科	一年畢業	二屆
2. 初級國語師範科	半年畢業	三屆
3. 高級注音符號科	三月畢業	二屆

4. 初級注音符號科　三月畢業　三屆
5. 星期國語科　二十星期　一屆
6. 暑期國語專修科　四個星期　三屆
7. 暑期國語師範科　四個星期　二屆
8. 暑期新國音專科　三個星期　一屆
9. 國語速記術函授科　半年畢業　三屆（註七一）

後來該校因經費支絀，無法維持，暫行停頓，於二十年夏季改設國語傳習會。（註七二）

吳氏主持國語統一會後，設立兩訓練機關，一爲國音字母講習所，一爲國語速記講習所。（註七三）後者與本文無關，不再贅述；前者自民國十七年起，共學辦八期，畢業一百七十一人。（註七四）來者多係閩粵等籍的大學生及教員（註七五），這批人結業後，對於國語教育之推廣，自然有所幫助。但是因爲人數過少，影響總是有限，於是在民國二十年一月開第九次常委會時議決，注音字母講習所於必要時得擴大爲國語講習所。（註七六）

自抗戰開始，國語師資之訓練逐漸由教育部承辦，當時訓練方式，分爲三種：

㈠ 部辦國語師資訓練班—教育部於民國二十九年訂定國語師資訓練班簡章，要點爲由各省市選送師範學校或中學校國文教員、教育廳局之視察員、以及中小學教師服務團之教員，作爲學員。第一期於民國三十年二月初開學，四月初旬結業，結業學員二十九人。（註七七）第二期於同年五月初旬開

班，七月初旬結業，計結業學員三十七人。後因交通困難而停辦，由各省市自行訓練。（註七八）

㈡　各省市國語師資訓練班—民國三十年，各省市接辦國語師資訓練，請教育部派專家擔任講師。民國三十一年，有四川、廣西、雲南、陝西、甘肅五省辦理。民國三十二年，有寧夏、貴州、江西、廣東四省辦理。（註七九）

㈢　國語專修科—上述兩種班，畢竟是短期的，且未完全針對師範的師資作訓練，造成師範國文教員多不善國語，師範生亦未受國語訓練，是以有單獨訓練高級國語師資之必要。（註八〇）於是由國語推行委員會，以紀念領導國語運動三十餘年之吳稚暉八十壽辰爲由，呈請教育部設置國語專修科。教育部遂於民國三十三年五月，令西北師範學院、女子師範學院、社會教育學院三校，添設國語專修科。（註八一）各學院即於三十三年度招收第一班新生，各班均告成立。三十五年暑假，國語專修科第一班學生畢業，大部分學生均派赴新光復之台灣省擔任推行國語工作。台灣省國語教育所以有長足之進展，要感謝這批國語專修科的學生。（註八二）

民國以來，國語運動之未能普遍推行，與國語師資之缺乏有絕大關係，因中國地廣人衆，僅靠少數人之推動，他們雖竭力以赴，而收效卻不彰著。吾人從歷次國語講習所、國音字母講習所，成效不彰之例，可知其一二。吳氏感覺到此種推行之危機，認爲非創設一專門培育國語師資之學校而不爲功，遂有上海國語師範之創立。開國內首創國語師範之先河，奠下國語師資培育之基，其功亦匪淺矣。

第四節　爲國語推行法案催生

吳氏於國語運動之推行，不遺餘力，常以其在國民黨中之地位，向黨中央提出各種國語推行法案，對國語運動之推行，採用從官方政令著手，以逐漸普及民間。

注音字母自民國二年誕生以來，推行極不順利，且反對者衆。吳氏認爲，多數人的謬誤，在於把注音字母當作音字，因此，一方面有保守勢力的反對，他說：

自從注音字母出世，衆口一詞，中國也有了拼音字母。……老頑固屁滾尿流的著急，以爲這就是漢文的謀殺犯，漢文要結果在它手裏。（註八三）

此外，又有許多音字家，認爲注音字母不夠資格作爲音字，而大力反對。（註八四）吳氏認爲，這也是因誤會所致，毛病出在注音字母的名稱上，「稱爲字母，名不副實，徒滋歧誤」（註八五），所以要改稱「注音符號」，以昭核實。在此體認之下，吳氏採取了行動。

民國十九年四月，中央執行委員會第八十八次常務會議，吳氏提出：「改定注音字母名稱爲注音符號，以免歧誤而利推行，請求公決案」。二十一日，經常會議決，改「注音字母」名稱爲「注音符號」（註八六），並決定推行辦法三項如下：

㈠決議令行各級黨部，使黨部人員一體採用，以增宣傳黨義上之便利。

㈡決議知照國民政府令行各機關人員，應一律熟記，藉以周察失學民衆疾痛之助。

㈢並決議飭教育部令行各級教育機關師生，皆應傳習，使易於協助民衆從事補習教育。（註八七）

這三項辦法，爲吳氏所擬，其推行對象爲黨員、政府官吏、教師及大學生，至於爲何要先將注音符號推行於這些人？吳氏指出，其目的是要「先造師資及樹模範之意」（註八八），他並加以說明：

黨員、官吏、教師、大學生，皆高等模範人物，不惟負有教育失學民衆之責，而且如此粗淺簡易的符號，皆一覽而知。……欲熟讀各個符號，永遠不忘，惟需常常教人，自然十分爛熟。……所最希望者，亦惟人人能任教師。則三百二十兆不識字同胞，方能共出火坑。（註八九）

在此三項辦法決議之後，吳氏希望各級黨部，政府所屬機關，及各級教育機關，即應注意，俟編定傳習小册，分別頒行，隨卽限期實行。（註九〇）

行政院接到中常會決議，卽分令所屬各機關，並飭教育部：「卽便轉飭所屬及各級教育機關，分別遵照辦理，並編具注音符號讀法傳習小册送院，以憑轉呈核定」。教育部奉此，卽於部中組織注音符號推行委員會，吳氏亦爲委員之一。（註九一）此外，教育部並飭令所屬各機關學校，一體遵照院令辦理，又編成注音符號傳習小册，並開辦注音符號傳習會，由各黨政機關派員學習，以便回原機關傳習推廣。（註九二）

同年四月十五日，在南京開幕的第二次全國教育會議（註九三），也於二十一日，議決吳氏所提議「擬請教育部在最短期內積極提倡注音識字運動案」。其辦法如下：

㈠全國人民，不論識字與不識字，都應一律採用注音符號。
㈡注音符號專爲國音而設，但於必要時，不妨附注土音，以利進行。
㈢所有民衆讀物，都應加注音符號。
㈣所有教育機關及民衆教育團體，應組織注音識字設計委員會，並任專員負責推行。（註九四）

於是教育部於同年七月二十三日，制定各省市縣推行注音符號辦法二十五項，咨行各省市政府，並令各省市縣教育廳局遵照辦理。（註九五）

自從辦法公布以後，各省市縣紛紛遵令傳習注音符號。北方雖然奉行稍遲，從民國二十年後，也有風起雲湧之勢，不再把注音符號拿來虛應故事。（註九六）黎錦熙認爲：「三十餘年來所已知已言，而未能實行，今竟能由國家最高政治機關下令督促全國，大有嚴厲風行之勢，此實打破三十餘年來政府方面之沈寂，而爲國語運動史上開一新紀元」，（註九七）而推其原始，吳氏起草並推動此案之立法，實爲首功。

抗戰軍興，在抗戰建國的大前提下，掃除文盲及以語言促進統一的需要更爲迫切，但注音符號之推行一直成效不彰。吳氏一向認爲，注音識字，爲徹底掃除文盲最有效之辦法，而過去推行注音符號所以不甚彰顯功效者，卽缺注音國字之書報。蓋學會注音符號以後，卽予以閱讀訓練；否則學而不用，將日疏漸忘。而注音國字印刷之書報，正可提供此繼續閱讀之訓練。（註九八）因此，在民國三十年三月廿四日，吳氏出席中國國民黨五屆八中全會時，乃提出了「大量編印注音國字之通俗書報及刊物，以供學成注音符號之民衆閱讀，發揮宣傳及訓練之功效案」；以及「積極推行注音識字運動，期於五年內，普及注音識字，徹底掃除文盲，以宣揚三民主義，促進抗戰必勝，建國必成案」。（註九九）（爲便於敍述，前者簡稱甲案，後者簡稱乙案）。吳氏並擬訂甲案之辦法如下：

㈠令行各宣傳機關，所有爲民衆士兵編印之小册，一律用注音國字排印。所印行之日報及刊物，應特闢注音國字一欄，以便民衆閱讀。

㈡函知國民政府轉令行政院，指撥專款，令行教育部編印專爲民衆閱讀之定期刊物，大量印發，擬定計畫，期在三年內，每甲能有一份，供各家輪流閱讀。爲免除郵寄困難，可分區印行。

㈢由教育部通令各出版商家，所有通俗及兒童讀物，一律用注音國字印刷，嚴厲執行該部所公布之「促進注音漢字推行辦法」。

㈣由教育部令行各省市教育廳局，購備各注音國字銅模（商務印書館等皆有），除自印注音國字書册及文告，以示提倡外，並借予各印刷工廠澆鑄鉛字，廣爲推行。（註一〇〇）

此外對於乙案，吳氏提出說明，指出當時識字運動成績不彰，乃由於「常用之漢字太多，學習又甚不易，所學之字數（約一千字）與所需應用之字數（約四千字）相差甚大，故上學四個月之結果，仍無讀書看報之能力」。（註一〇一）他認爲，識字運動，若從推行注音符號起，再從注音而讀書識字，則不但普及迅速，且因此獲得閱讀注音書報之能力，識字運動之目的，亦可完全達到。然後再大批編印主義及常識讀物，供民衆閱讀，可達宣傳主義之目的。不但共黨之虛僞宣傳，無所施其技；拉丁化

運動，亦隨注音識字運動之起而撲滅。（註一〇二）

對於注音識字運動之推行，吳氏訂定辦法如下：

㈠由中央執行委員會，擬定推行注音識字詳細辦法，通令各級黨部，積極推行注音識字運動，期於五年內普及。

㈡由本會通知三民主義青年團總團部，擬定團員推行注音識字辦法，發動全國學生及知識青年，普遍舉行注音識字運動，傳習注音符號，即可廣羅民衆中的農工青年黨員。

最後，經大會於民國三十年四月一日議決通過甲、乙兩案，由國防最高委員會交由行政院，再轉交教育部切實籌劃辦理。教育部分別令行各省市，及直轄之各級學校與社教機關，切實辦好鑄造各號注音國字銅模、大量編印注音讀物等事項。（註一〇四）此外，推行注音識字，係一普遍之社會運動，教育部以茲事體大，乃函約中央宣傳部、海外部、中央訓練委員會、三民主義青年團中央團部、社會部、軍事委員會政治部、蒙藏委員會、僑務委員會，再加上教育部，共九部會，合組「中央推行注音識字運動委員會」，於民國三十一年六月一日，在渝舉行第一次會議，十月二十日正式備案成立。從此，乃全面展開注音識字運動。

國語運動在推行之際，確實遭遇不少困難，但吳氏以其敏銳之洞察力，往往能及時獲知困難之所在，從而速謀對策，制定法案，藉政令之推行，消除障礙，從而鋪平國語運動推展之路途，厥功至偉。

第五節　注音符號與注音漢字之宣傳推廣

自從民國二年，注音字母誕生之後，吳氏成爲其最積極的宣傳者，終其一生，始終不懈。吳氏除在「新青年」及各報章雜誌上，爲注音字母辯護、宣傳外，最主要就是以演講從事宣傳了。其前後舉行關於注音符號演講不下數十次（吳任上海國語師範校長時，卽每週舉行演講），今祇舉其犖犖大者：

㈠民國九年，吳氏在江蘇第二師範演講「國音問題與國語的文字問題」（註一〇六），指出注音字母狗屁不值一錢，但卻又神聖不可侵犯。

㈡民國十年春，吳氏應邀至廣東高等師範，講演注音字母和國音統一運動經過，每星期兩次，每次兩小時，共講了四星期，聽衆相當踴躍。吳氏並用許氏說文和康熙字典，當場注上注音字母，並教高師同學照著學做。（註一〇八）

㈢民國十八年五月一日，吳氏在江蘇省教育廳演講「注音符號之推行」，主張把注音符號當做草鞋，送給二百兆不識字的勞動者，讓他們能藉以讀書識字。（註一〇九）

㈣民國十九年四月十五日，吳氏在南京召開的第二次全國教育會議，演講「怎樣應用注音符號」。主張以注音符號在漢字旁，注出國、土兩音，他認爲這樣，中國識字之人，才能由百分之二十增加到

百分之百。（註一一〇）這一次的講演很有力量，注音識字運動的再起，可以說就是這次的講演鼓導起來的。（註一一一）

㈤民國十九年五月一日，在江蘇省教育廳講演「注音符號之意義」，再度指出注音符號是草鞋，外國拼音是皮鞋，草鞋是在沒有皮鞋之前，應用在日常生活上的，其實際價值，更勝於皮鞋。（註一一二）

㈥民國三十一年十一月十八日，在社會教育擴大運動週播講「國語教育－注重注音符號」。指出在國民教育及消除文盲方面，都要注重國語教育；但是現在一般人，不知道利用注音符號來幫助國語教育，反要羨慕拉丁化。所以吳氏呼籲，如要推行國語教育，就須注重注音符號。（註一一三）

利用演講來宣傳，收效極大，但是聽的人有限。所以吳氏除了利用演講的方式外，另外也在報章雜誌發表文章宣傳，早期大部份在新青年雜誌發表，後來作品徧布於「時事新報－學燈版」、「群報」、「東方雜誌」、「語聲」、「中央黨務月刊」、「中央週報」、「中央日報、掃蕩報合刊」……等等。其中較有名的有「補救中國文字之方法若何」、「二百兆平民大問題最輕便的解決法」、「三十五年來之音符運動」。這些文章，均在社會上傳播極廣，引起很多知識分子的討論。

此外，吳氏並曾致函教育部，請教育部轉知各機關書報業，將簡易的國音字母表附印入各種印刷品中（註一一四），且在民國十七年印製年曆一張，附有注音的「誇陽曆大鼓書」，計達十萬張以上（註一一五），同時又將國音字母表並拼寫學例油刷於各都市通衢的牆壁上。十九年後，津浦、京滬和平漢等幾條國有幹線車站名牌，都已加上注音符號。（註一一六）這些對注音符號的各種宣傳，吳氏之推動，與有力焉。

在推廣傳習方面，民國十九年一月，國語統一會第一屆年會時，吳氏主張普及注音字母，宜試行強迫傳習，可先就南京、北平、上海、無錫四處爲試驗區。（註一一七）此外，吳氏所主張之注音符號傳習小册，亦於民國十九年十月，由中華書局印行，其同性質的書亦日漸增加。（註一一八）民國三十三年，教育部公布吳氏手撰之「注音符號歌」（註一一九），對注音符號之推廣極有幫助。

在注音漢字方面，吳氏向來就主張，注音與漢字不可分離。認爲合則雙美，離則兩傷。雖經其大力提倡，且制定法令以推動之，但社會上一般書報雜誌、兒童讀物、民衆讀本，附上注音者仍然很少。考其原因，在於缺乏一副帶注音的鉛字銅模，以致無法刊印注音書報。民國十九年七月，教育部頒行各省市縣推行注音符號辦法二十五條，其中第十三條即規定：「各省市縣所有各書坊及印刷業，改鑄鉛字模，字旁一律加注音符號」。（註一二〇）

國語統一會在吳氏領導下，對於注音漢字字模之鑄造極力促成。民國二十三年十一月，國語統一會議決：「漢字注音銅模，應由國家鑄造推行案」，並呈文教育部核辦，其呈文云：

本會竊思注音符號……大部極力提倡以來，爲時則已經過廿載之久，爲效乃未及於一廛之氓。揆厥原因，只在物質。蓋官廳諭衆，學校課徒，社教牖民、報章載筆，一用注音符號，便感印刷繁難：排版校字，須加五倍之工資，而字裏行間，徒增滿紙之污垢。……注音符號之推行，必使固定聯繫於漢字，則屬稿時既省逐字注音之勞，排字者更獲一舉兼得之效，印刷若早有此準備，法令何至成爲具文？……乞大部核定後，撥款從事鑄造，或指定可靠印刷商店承辦，即候批示遵行。（註一一一）

國語統一會並擬訂辦法四條呈部核辦。民國二十四年一月，教育部採納此議，召集會議討論，旋決定委託上海中華書局，代鑄漢字注音銅模，繕具合同草案，呈准行政院在該年度教育文化費第一預備費項下動支二萬元。三月九日，與中華書局訂立合同，就該局原有之仿宋長體字旁加注音，湊成方形，鑄造銅模。爲便於印刷短期義務教育，及民衆教育需用之讀物計，先鑄三號字一種，以次逐鑄二號、五號、四號，約於一年內，完成全套銅模。（註一一二）

教育部於民國二十四年九月，公布促進注音漢字推行辦法。此辦法係依據民國十九年吳氏於中央執行委員會所提「推行注音符號辦法」之精神，其內容包括國小大部分課本及所有兒童、民衆讀物，應全用注音漢字；各級師範學校應教注音符號；初小入學，先教注音符號等等。（註一一三）

而注音國字銅模，抗戰前即已將二號、三號、四號、五號共四種，完全鑄就；且每種製有四副，擬分配四區推行。此四種銅模，其用字係經選定者，每種均爲六七八八字。（註一一四）國字旁注音，且製成銅模，此實爲劃時代之工作，對於識字教育，實大有裨益。

民國三十年，吳氏提出大量編印注音國字通俗書報之議案後，教育部奉行政院令籌議辦理，遂於民國三十一年一月七日公布「推行注音國字令」，其內容如下：

㈠應購備各號注音國字銅模各一副（商務、中華、正中、世界書局均有此項銅模，足資翻鑄）。有特殊方言之省區，須依本部頒行之「全國方音注音符號總表」，添製本省區所需之方音注音符號，以便左注方音，實施邊區民衆教育。此項銅模，並應借與各印刷所鑄字使用，以期普及。

㈡應指撥專款，編輯各界民衆及兒童注音讀物，大量印發，以示提倡。

㈢通飭所屬各級學校各機關，令所出版民衆及兒童讀物，及對外文告、標牌等件，應盡量用注音國字印刷或書寫。

㈣通飭各級師範學校及各種師資訓練班，均應依照本部於民國二十九年十一月二日公布之「國語講習課程暫行綱要」，設置國語課程；並依該綱要內之要目及注意事項，切實實施。凡注音符號不及格者，不得畢業，並不予檢定。如國語師資缺乏，各該省主管教育行政機關，應從速設班訓練，分發任用。

㈤嚴厲執行令頒注音國字推行辦法，並通飭各出版商家，以後凡新印或再版民衆及兒童讀物，應盡量用注音國字印刷，除分令外，合行令仰遵辦；並分別轉飭遵辦爲要。（註一二五）

注音國字推行辦法，及注音國字令的先後公布，顯示注音國字，已取得了法定地位，由政府正式以政令推行。此爲吳氏多年努力不懈的成果。吳氏推行注音符號及注音結合漢字之理想，亦終於獲得實現。

【附註】

註一 吳相湘，吳稚暉促進國家統一，收入吳相湘，民國百人傳㈠（台北，傳記文學出版社，六十八年元月十五日再版），頁四一六。

註二 吳全集卷十八。陳編吳年譜，頁八四。

註三 吳稚暉，致陸爾奎函，吳全集卷五，頁二五－六。

註四 黎著史綱，頁九四－五。

註五 當時吳氏與鈕永建合辦中華新報，見陳編吳年譜，頁四六。

註六 陳編吳年譜，頁四七。

註七 同註四，頁九五。

註八 黎錦熙，錢玄同先生手傳與手札合刊，頁八。

註九 同註七。

註一〇 同註八。

註一一 中國大辭典編纂處編，國音字典（台灣商務印書館，三十八年八月初版，四十八年三月台一版），自序，頁一。

註一二 民國九年十二月教育部頒布國音字典字音校勘記，收於舒新城輯，近代中國教育史料，頁五二。

註一三　同註一二，頁五三，指出當時外間對於標準字音需求孔亟。

註一四　吳稚暉，答巜君書，吳全集卷五，頁二一六。

註一五　同註八，頁九。

註一六　黎著史綱，頁二〇一。

註一七　杜子勁，最近五年來之中國新文字問題，國語週刊第七期（20.10.17.日），頁一五。

註一八　黎錦熙，錢玄同先生手傳與手札合刊，頁一〇。

註一九　吳敬恒，請教育部公布國音常用字彙文，國語週刊第二十六期（21.3.19.日），頁五三。

註二〇　教育部公布國音常用字彙布告，見於國語教育法令摘要，頁二八，收入國語教育法令彙編。

註二一　教育部教育年鑑編纂委員會編，第二次中國教育年鑑（三），（上海，商務印書館，三十七年出版），頁八〇。

註二二　教育部公布中華新韻令，國語教育法令彙編，國語推行重要法令頁一三。

註二三　黎著史綱，頁三五一－三。

註二四　詳第三章第一節。

註二五　吳稚暉，答巜君書，吳全集卷五，頁二一五－六。

註二六　吳全集卷五，頁二一六、二二〇、二二一、二三〇。

註二七　杜子勁，國音常用字彙的出版（續），國語週刊第六十五期，頁一三五。
註二八　詳第一章第二節。
註二九　詳第三章第二節。
註三〇　吳相湘，吳稚暉促進國家統一，民國百人傳㈠，頁四一六；一見黎著史綱，頁一九九。
註三一　羅常培，魏建功古音系研究序，國語週刊第一四二期，頁二九五。
註三二　關國煊，黎錦熙，劉紹唐主編，民國人物小傳㈢（台北，傳記文學出版社，六十九年十一月一日出版），頁三三七。
註三三　不錄撰者，錢玄同，劉紹唐主編，民國人物小傳㈠（台北，傳記文學出版社，六十四年六月一日出版），頁二六七。
註三四　方師鐸，記劉半農先生，傳記文學，第三卷三期，頁一五。
註三五　楊時逢，追思姑父—趙元任先生，傳記文學，第四十卷四期，頁二二。
註三六　黎著史綱，頁二〇〇、二〇二。
註三七　黎著史綱，頁二〇二—四。
註三八　同上，頁二〇五—六。
註三九　同上，頁二〇六—七。
註四〇　同上，頁二〇七—二一一。

註四一　同上，頁二二一—二。
註四二　中國大辭典編纂處第四次總報告書，國語週刊，第四十九期，頁一〇一。
註四三　見國語週刊卷十五、二十五，頁三一、五一。
註四四　見國語週刊卷四二、四九、五一、七三、八四、八七、九五、九七、一〇一、一二〇、一六五、一六六。
註四五　吳全集卷五，頁一二三。
註四六　吳敬恒，民國二年讀音統一會通過增製閏音音標之說明，國語週刊二四〇期，頁四七二。
註四七　同註三四，頁一六。
註四八　國語消息，國語週刊二一四期，頁四四〇。
註四九　同註三五，頁一九。
註五〇　譞，說方音研究，國語週刊一九四期，頁四〇三。
註五一　黎著史綱，頁二八三。
註五二　教育部教育年鑑編纂委員會編，第二次中國教育年鑑（二），頁八八。
註五三　梁容若，敬悼吳稚暉先生，收入梁容若散文集（台灣，開明書店，四十六年三月初版，六十五年八月增訂初版），頁四六—七。
註五四　同註五三，頁四七。

註五五　詳第三章；一節，一見史穎君，我國國語運動之研究，頁一一七—八。
註五六　各省教育總會聯合會議決案，收於舒新城輯，近代中國教育史料，頁二〇三。
註五七　第一次中國教育年鑑，頁五九一。
註五八　頤，爲注音符號敬告中學的國文教員，國語週刊第三期，頁七。
註五九　國語師範學校發起宣言，吳全集卷二，頁一四五。
註六〇　同註五九。
註六一　吳相湘，吳稚暉促進國家統一，民國百人傳㈠，頁四一一。
註六二　同註五九。
註六三　陳編吳年譜，頁五八。
註六四　楊編吳年譜，頁五七。
註六五　同註六三。
註六六　同註六四，頁五七—八。
註六七　楊編吳年譜，頁五八。
註六八　語聲祝詞，吳全集卷五，頁二七一。
註六九　吳稚暉，致子靖函，吳全集卷二，頁六五三。
註七〇　第一次中國教育年鑑，頁五九八—九。

註七一　同註七〇，頁五九九—六〇〇。
註七二　同註七〇，頁五九九。
註七三　黎著史綱，頁三九一。
註七四　同註七三，頁三九一—二。
註七五　同註七三，頁一九八。
註七六　同註七三，頁一九七。
註七七　第二次全國教育年鑑，頁八一。
註七八　同註七七，頁八二。
註七九　同註七七。
註八〇　同註七七，頁八三。
註八一　王炬，國語運動的理論與實際，頁七四。
註八二　同註八〇。
註八三　二百兆平民大問題最輕便的解決法，吳全集卷五，頁二四六。
註八四　同註八三，頁二四八。
註八五　改定注音字母名稱爲注音符號及推行辦法案，吳全集卷五，頁三一二。
註八六　第一次中國教育年鑑，頁五九三—四。

註八七　同註八五，頁三一二—三。
註八八　同註八五，頁三一四。
註八九　同註八八。
註九〇　同註八五，頁三一三。
註九一　黎著史綱，頁二三五、二三七。
註九二　黎著史綱，頁二三七—八、二四一。
註九三　見郭廷以，中華民國史事日誌（台北，中研院近史所，七十三年四月初版），第二册，頁五七二。而陳編吳年譜及楊編吳年譜，均敍述吳到北平出席第二次全國教育會議，有誤。經查第二次中國教育年鑑，教育會議部分，亦指出第二次全國教育會議在南京。
註九四　第二次中國教育年鑑，頁三八—九；一見黎著史綱，頁二四一。
註九五　黎著史綱，頁二四一。
註九六　沈頤，爲注音符號敬告中學的國文教員，國語週刊第三期，頁七。
註九七　黎著史綱，頁二四九。
註九八　大量編印注音國字之通俗書報及刊物，以供學成注音符號之民衆閱讀，發揮宣傳及訓練之功效案。吳全集卷五，頁三五〇。
註九九　楊編吳年譜，頁九四；一見吳全集卷五，頁三五〇—一。

註一〇〇　同註九八，吳全集卷五，頁三五〇—一。

註一〇一　積極推行注音識子運動，期於五年內普及注音識字，徹底掃除文盲，以宣揚三民主義，促進抗戰必勝，建國必成案。吳全集卷五，頁三五一。

註一〇二　同註一〇一，頁三五二。

註一〇三　同註一〇一，頁三五三。

註一〇四　第二次中國教育年鑑，頁八四—五。

註一〇五　同註一〇四，頁八五—六。

註一〇六　陳編吳年譜，頁五〇。

註一〇七　國音問題，吳全集卷五，頁一七四。

註一〇八　謝康，吳老頭子稚暉師，中外雜誌，十九卷五期，頁八—九。

註一〇九　注音符號之推行，吳全集卷五，頁二九四—五。

註一一〇　怎樣應用注音符號，吳全集卷五，頁三一二。

註一一一　杜子勁，最近五年來的中國新文字問題，國語週刊，第八期，頁一七。

註一一二　注音符號之意義，吳全集卷五，頁三四五—七。

註一一三　國語教育—注重注音符號，吳全集卷五，頁三五三—七。

註一一四　黎錦熙，教育部國語統一籌備委員會最近六年紀略，國語週刊第一四三期，頁二九七。

註一一五　同註一一四。
註一一六　同註一一四。
註一一七　黎錦熙，教育部國語統一籌備委員會最近六年紀略，國語週刊第一三九期，頁二八九。
註一一八　黎著史綱，頁二三八—二四〇。
註一一九　教育部公佈注音符號歌，吳全集卷五，頁三七四。
註一二〇　黎著史綱，頁二四一、二四四。
註一二一　商務印書館編審部編纂，注音國字（台灣商務印書館，二十五年八月初版，五十年七月台一版），頁一、頁五。
註一二二　第二次中國教育年鑑，頁七九；一見註一二〇，頁五—六。
註一二三　促進注音漢字推行辦法，國語週刊第二〇七期，頁四三〇。
註一二四　第二次中國教育年鑑，頁七九。
註一二五　推行注音國字令，國語教育法令彙編，國語推行重要法令，頁一八。

結論

吳氏從事國語運動，源於其平民教育之理想，他認爲要使貧弱的中國能夠富強，惟有實施平民教育（註一），這與其他語文學者，主張精益求精地研究更完美的音字，以取代漢字的看法，頗爲不同。因吳氏了解到，在各國都在銳意求進的時候，時間十分緊迫，一般平民無法等待語文專家慢慢研究，他們所立刻需要的，是一套能幫助認識漢字的簡易工具，注音符號恰能滿足此種需求。他就請了「注音符號」，做了漢文的「家主婆」，用注音漢字，來便利文盲識字，不知造福了多少平民。

吳氏早年曾主張廢除漢字，但在民國以後，卻大聲疾呼，反對廢除漢字，似乎吳氏突然由激進而轉爲保守，事實上其中轉變之處，仍有一些線索可以尋繹。其早年在巴黎曾大力提倡世界語，以爲非此不足以救國。但是回到國內，了解到社會上的實際情形，覺得一方面文盲太多；一方面漢文畢竟已流行於社會（註二），其勢力根深柢固，如一旦廢除，就有陷於混亂的危險。（註三）因此，基於其所一貫秉持的「實事求是」精神，使他放棄了理想雖好而當時尚不宜施行的「世界語」，轉而主張將注音符號與漢文結合，先使文盲能夠識字，然後才能談到發展國家建設。

五四前後興起了漢字存廢之爭。吳氏在此爭議中，堅持他的溫和改革立場，認爲漢字確實有其缺點，但可以用注音字母來補救。結果他一方面遭到守舊派的攻擊，認爲他主張的注音字母，有取代漢字的企圖；另一方面，激進派（主張廢漢字者）對吳氏採取與漢字妥協的態度大爲不滿。學者張金鑑指出，溫和改革派，常會受到激進派（革命派）與保守派的兩面夾攻，遭遇較多的抗拒者與敵人（註四），所以吳氏所選擇的道路是如此的坎坷；但是他無視於周遭環境的困難，仍然勇往邁進，大力推行注音符號。在他的努力之下，注音符號終於取得法定地位，成爲教育文盲的利器；而拼音羅馬字，最後也只好作一種譯音符號了。（註四）

回溯半世紀來，吳氏從事國語運動的努力，可以看出他與國語運動關係之密切。在「新世紀」時期，他提倡的世界語，雖然一直不獲實行，但他提出的許多主張，如漢字附記音字母、開會審定官音、公布字典，將注音普及於學校、編讀本及月報、辦聯合大會等，後來在民國國語運動中，都一一得到採行。民國二年，吳氏主持讀音統一會，扮演了注音字母催生者的角色；在五四時代，當漢字與注音字母面臨激烈的攻擊時，吳氏起而扮演其護持者，並抨擊讀經運動，以護衞白話文；此外，吳氏並從事於國語師資之培育、國音字典之編纂、國語推行法令之制定、國文研究的科學化、注音漢字之推廣宣傳等工作，使國語運動走向現代化、科學化、制度化，爲國語運動之推行，奠定了良好的基礎。

在國語運動史上佔有重要地位，且精研文字聲韻者，頗不乏其人，而吳氏能屢膺重寄，而領導國語運動，實非偶然。我們將國語運動史上的幾個先鋒，與吳氏相比較。盧戇章雖曾出過洋，但也只是懂得一點歐美拼音文字與日本假名，然並不明瞭中國文字變遷的大勢。王照雖曾涉獵小學，又懂得日文，而對西洋文字則缺乏了解，且對人存有成見，則往往容易流於意氣用事。（註六）勞乃宣對中國聲韻學頗有研究，然於日文及西洋字母則非其所長。章炳麟的小學基礎深厚，而缺乏外國文字之比較研究能力。（註七）惟有吳氏，浸淫中國文字、聲韻之學數十年，出國後又勤習英、日、法文及世界語，對於中外的語言文字流變，均有深入研究，並能比較其得失優劣，所以才能從雜然紛陳的許多語文改革意見中，詳審歸納，從其中尋求出一種平實而可行的作法，而付諸施行。此外，吳氏的胸襟寬大，民初的讀音統一會，要不是他不計私怨，從中極力調和，融合衆意，恐怕也沒有注音字母的誕生了。

國語運動，在現代史上之地位，常易爲一般人所忽略，事實上，國語運動起於清末，爲救亡運動之一支（註八），後來成爲民國統一工作之一部分（註九），其所造成之影響，至少有四：

一　使中國歷來最令人頭痛之漢字標音問題獲得解決，玄妙難識之音韻學，不再成爲平民啓蒙之障礙。

二　秦始皇造成中國「書同文」而天下一統；國語運動更進一步朝向「語同音」的路途邁進，其促進全國統一之功（註一〇），亦不在小。

三　國語運動，以簡單易學之注音符號教習平民，使普及民智成爲可能；而平民教育水準提高，造成國民現代化生活，更奠定了民主政治之基礎。

四　國語運動，與現代幾項運動關係密切。如文學革命即首揭「國語的文學，文學的國語」之大

轟；而識字運動及平民教育運動，有了注音符號的幫助，更能加速其運動之推行。（註一一）

今日我們享受到國語運動的成果，藉著注音符號的幫助，使漢字的學習更為容易，因而文盲已減至最低。另一方面，不同省籍的人，藉著標準語的使用，居然可以互訴衷曲，毫無窒礙。由此，我們對吳氏一生提倡國語運動，以達成「語言一聲，統一中國」的理想（註一二），不得不表示由衷的感佩。

近世一般學者，輕言廢除漢字，改用拼音，吳氏早已指斥其非。此輩學者認為，只要改用拼音文字，就可普及民智，使國家富強。學者王爾敏指出，此種見地，在心理上適正足以反應國人民族自信心之崩潰。王氏認為，各民族語言文字，為該民族文化長期形成，若一旦採用外國拼音，因彼此文字特性不同，則可能失去原有文字統攝語言之特性，國家隨語言變化，而日趨歧異分裂。（註一三）事實上，章炳麟早已強調過「國人能徧知文字與否，在強迫教育之有無，不在象形合音之分也」（見第二章第三節）。今日在中華民國能做到教育之普及，完全靠強迫義務教育，而非靠推行拼音文字，此即為一明證。

至於中國文字，是否繁難不易學習，近來已有學者從事研究。如蔡樂生、周學章、劉延芳等，經過實驗後，一致指出：筆劃多的字（約十二劃），比筆劃少的字（約七劃）容易認識，而且容易記憶；而全部漢字中，以十一劃至十六劃間的字為最多，正合於漢字學習效率的標準，（註一四）另外在漢字字音、字義方面學習調查結果，繁體字亦較簡體字易學習。（註一五）

由此，漢字繁難不易學習之迷思，雖已支配近代主張廢除漢字者之心理近百年，但如今已為學者之實驗結果所擊破。從而，對吳氏當年力斥拼音文字，堅持維護漢字的苦心，在今日看來，實在是高瞻遠矚。目前，中共正在大陸上實行漢字簡化，且進一步要走向漢語拼音化，企圖滅絕漢字。（註一六）我們更應好好珍惜這祖先留給我們的文化遺產（漢字），加以科學化的研究和整理，使它更適用於現代的社會，並將漢字的優點，好好發揚光大，以重拾我們失去的民族自信心。

【附註】

註一　二百兆平民大問題最輕便的解決法，吳全集卷五，頁二四二。

註二　國語教育—注重注音符號，吳全集卷五，頁三五七。

註三　同註二。

註四　張金鑑，動態政治學（台北，七友出版傳播事業股份有限公司，六十六年九月初版），頁四四七。

註五　第二次中國教育年鑑，頁七七。

註六　黎錦熙，王照傳，國語週刊，一二九期，頁二六八。

註七　梁容若，吳稚暉先生與國語運動，收入台灣省國語推行委員會編，吳稚暉先生的生平（編者自印，四十年四月），頁九。

註八　甲午戰爭之慘敗，顯示當政的士大夫之救國工作已全部證明失敗，而國家民族滅亡的危機又迫在眉睫，於是在野知識分子，激於情勢需要，起而發起救亡運動，代替業已失敗之自強運動，見李定一，中國近代史（台灣中華書局　六十五年十二月台十九版），頁一八三。國語運動觸機於甲午之慘敗，企圖從提高民智以挽救國家之危亡，是以列之爲救亡運動之一支。

註　九　吳稚暉促進國家統一，收入吳相湘著，民國百人傳㈠，頁四一七。

註一〇　張博宇轉引魏德邁將軍的話，指出在黃金十年間，由於注音符號的使用，統一了中國的語言，促成了國家的統一。見張博宇編，台灣地區國語運動史料（台灣商務印書館　六十三年十一月初版），頁一六〇。

註一一　第二次中國教育年鑑，頁九三、九四。

註一二　陳立夫，「語言一聲，統一中國」，收於紀念吳稚暉先生倡導國語運動七十週年專集（教育部國語推行委員會暨國語日報印行，七十二年九月二十八日），頁八。

註一三　王爾敏，中國近代知識普及化之自覺及國語運動，近代史所集刊，第十一期，頁四十四。

註一四　杜學知，漢字三論（台北，藝文印書館，六十四年七月初版），頁五三—五。

註一五　同註一三，頁五六—六〇。

註一六　汪學文，共匪文字改革總批判（中華民國國際關係研究所，六十三年七月初版），頁八一—一〇。

附錄　吳稚暉年譜與國語運動大事對照表

時間	年紀	先生大事紀略	國語運動大事紀略
道光二十三年（一八四二）			勞乃宣生
咸豐四年（一八五四）			盧戇章生
咸豐九年（一八五九）			王照生
同治四年（一八六五）	一　歲	二月二十八日丑時（西曆三月二十三日）出生於江蘇省常州府陽湖縣之雪堰橋鎮南街老宅，父有成公，母鄒氏。	
同治九年（一八七〇）	六　歲	喪母，二妹、三妹亦殤。隨外祖母陳氏至無錫江尖嘴鄒宅居住。	
同治十年（一八七一）	七　歲	入塾，就業師張鼎臣啓蒙。	

光緒元年（一八七五）	十一歲	外祖母爲其文定袁氏長女蘊生，小其一歲。	
光緒四年（一八七九）	十四歲	改從龔春帆讀左氏傳，始作八股。	
光緒八年（一八八二）	十八歲	始設館授徒，得以自給。	
光緒十年（一八八四）	二十歲	在無錫應童子試，被告訐冒籍，乃返陽湖縣應試，始學古文詞，始寫日記。中法戰起，與友歎中國積弱，應力求富強。	
光緒十三年（一八八七）	二十三歲	應考陽湖縣縣學，獲雋。課後常與同學聚春源社品茗，談論經史，間喜讀經世文編等，講求務實。	
光緒十五年（一八八九）	二十五歲	與孫揆均等同考入南菁書院，掌教黃以周。吳乃遣散塾館，前往就讀，住訓字齋，同學有鈕永建。十月，女芙生。	

光緒十七年（一八九一）	二十七歲	七月　外祖母病逝 八月　吳中試第九十一名舉人	
光緒十八年（一八九二）	二十八歲	會試落第。 十月　以江陰令乘轎經孔廟未下轎，同學以瓦石投輿，吳和之，後縣令道歉，然山長不滿，吳遂自動退學，然畢生受山長「實事求是，莫作調人」之影響甚深。	盧戇章發表「中國第一快切音字」，並於萬國公報發表「變通推原說」。 盧著「一目了然初階」（中國切音新字廈腔）在廈門出版。
光緒十九年（一八九三）	二十九歲	就讀紫陽書院，次女渠生。	盧著「新字初階」（一目了然初階的節本）在廈門出版。
光緒二十年（一八九四）	三十　歲	會試又落第。次女渠殤。 七月　中日交戰，頗爲憤慨。 九月　至天津汪家就讀。	
光緒二十一年（一八九五）	三十一歲	會試又不第，返無錫。	
光緒二十二年（一八九六）	三十二歲	在蘇州陳容民家教讀，始創「荳芽字母」，以拼音字母，拼寫鄉音俗	蔡錫勇：傳音快字。 沈學：盛世元音，其盛世元音原

		語，並教家人試學「荳芽字母」，以爲通訊工具。 四月廿二日　子亮儕生。	序發表於時務報、申報。 力捷三：「閩腔快字」在武昌出版。
光緒二十三年（一八九七）	三十三歲	九月　至天津任北洋大學堂鐵路班國文教習。 十二月　至北京訪康有爲，談維新，相約不再赴試。	王炳耀：「拼音字譜」在廣州出版。
光緒二十四年（一八九八）	三十四歲	元旦　在北京攔瞿鴻禨轎，上光緒力請變法摺。 六月　改應上海南洋公學聘任國文教習，在滬因深覺闕「敬」與「恒」，不足以任己以天下之任，遂改今名。	工部侍郎林輅存呈請都察院代奏，期能將盧之新字用爲定本，通行各省，然爲學部批駁。
光緒二十五年（一八九九）	三十五歲	仍任教南洋公學，升任學長，提倡「群智會」，遇蔡元培，相處漸密。迎父及眷至上海居住。	
光緒二十六年（一九〇〇）	三十六歲	八國聯軍佔北京。吳與鈕永建建議學校買槍械，學生予以軍事訓練，	王照「官話合聲字母」在天津成書。（王照以戊戌政變逃日本，

		學校不准，吳乃辭去學長，專教國文。大妹及父親均逝。	返國）
光緒二十七年（一九〇一）	三十七歲	三月　辭南洋公學職，赴日，冬回國，與鈕永建應兩廣總督陶模之請，赴廣州籌備廣東大學堂，並結識胡漢民。	
光緒二十八年（一九〇二）	三十八歲	二月　粵督派其率學生赴日習法政，爲學生權益，而與駐日公使蔡鈞力爭，被日警逮捕欲遣送回國，跳水未死，蔡元培陪其回國。在上海張園演說革命，並在愛國學舍任學監及教員。與李石曾訂交。	力捷三著「無師自通切音官話書」出版。 王樸請管學大臣張百熙向清朝提出推行王照的官話字母。
光緒二十九年（一九〇三）	三十九歲	五月　蘇報案發，吳出國至倫敦。	王照在北京創立「官話字母義塾」，以木刻活字排印「官話合聲字母」一書。 張百熙、張之洞奏定學務章程中主張於國文一科內附「官話」一

光緒三十年（一九〇四）	四十　歲	在英，住愛丁堡，勤習英文，並學寫眞銅版。	門。直隸學務處通令全省啓蒙學堂傳習官話字母。天津設立簡字學堂，大規模傳習官話字母。
光緒三十一年（一九〇五）	四十一歲	在倫敦，中山先生訪吳，始相訂交，暢談革命。	王照創「拼音官話書報社」於保定，編印各種教科書，並刋行「拼音官話報」。兩江總督周馥奏設簡字學堂於金陵，勞之「增訂合聲簡字譜」作爲講義，又出版「重訂合聲簡字譜」。
光緒三十二年（一九〇六）	四十二歲	在英習照相術、印刷術。十二月　張人傑至倫敦晤吳，商談成立世界社之事。遂於巴黎成立世界社及中華印字局。	盧戇章放棄拉丁形式字母，改爲漢字簡筆之「中國切音新字」，呈繳學部。而王照之「官話字母字彙」亦在北京出版。
光緒三十三年	四十三歲	一月　吳氏與張人傑、李石曾籌備	勞乃宣著「簡字全譜」、「京音

（一九〇七）		新世紀週刊，吳氏負責編輯，吳氏、李石曾、汪精衞、褚民誼撰稿。 六月廿二日 創刊第一號。另印行世界日報。新世紀以內容提倡革命，清政府欲禁，駐法使以法國言論自由，無法禁止。	簡字述略」在南京出版，含京音、寧音、吳音、閩廣音四譜。
光緒三十四年（一九〇八）	四十四歲	七月 兩致章炳麟書，爲蘇報案被誣事嚴詰。 十月 返倫敦，仍按時寄稿巴黎。 本年在新世紀上有關文字改革及萬國新語文章如下： 三月廿八日 前行作 燃註 編造中國新語凡例40期。 四月廿五日 燃 新語問題之雜答44期。 五月二日 燃 讀新語問題之雜答45期。 七月廿五日 燃料 書駁中國用萬國新語說後57期。	勞乃宣把「簡字譜錄」五種送慈禧太后看，並要求她頒行全國，強令學習。 六月十日 民報21號刊章炳麟作「駁中國用萬國新語說」 十月十日 民報24號刊章炳麟之「規新世紀」，24號出版後旋爲日政府封閉。

宣統元年（一九〇九）	四十五歲	吳氏家眷移英，年底爲　中山先生辯誣。 在新世紀101、103期發表「書神州日報東學西漸篇」。	
宣統二年（一九一〇）	四十六歲	仍在倫敦家居。 本年在新世紀中有關文字改革文章如下： 二月十九日　上海沐君　闢謬118期。 箴俗　切音簡字直替 象形漢文法　118期。 三月十二日　上海沐君續闢謬119期。 新世紀於121號出版後，因賠累太多，遂停刊。	拼音官話報以觸攝政王載灃忌（或恐漢文因此廢絕），社被封，官話字母亦嚴禁傳習，王照乃避江蘇。
宣統三年（一九一一）	四十七歲	十月　武昌革命，　中山先生由美赴英，吳每日爲其處理往來函電。	六月　中央教育會議開幕，議決「統一國語辦法案」。
民國元年（一九一二）	四十八歲	一月四日　吳自淞赴寧晉謁　中山先生，與其同榻臥起。	七月十日　教育部召開臨時教育會議於北京。

		四月　與李石曾、汪精衞等在滬發起「八不會」與「進德會」。 五月　蔡元培任教育總長，邀吳擔任國語「注音字母」工作。 七月　吳至北京，致力推進讀音統一，國語注音之工作。 十一月　組織國音統一會，發表讀音統一會進行程序小冊。年底吳又爲國語事，赴淶水訪勞玉初(乃宣)。	八月七日　通過「採用注音字母案」。 十二月　教育部依此議決案，並根據官制第八條第七項「籌議國語統一之進行方法」，特制定公布「讀音統一會章程」八條。先設籌備處於部中，聘吳爲主任。
民國二年（一九一三）	四十九歲	一月　北上，就任國語讀音統一會會長，又被選爲大會議長。會中頗多爭論，而吳並不以私人恩怨意氣妨害公務。 四月　蔡元培請辭教育總長，吳亦於二十二日請辭讀音統一會會長職務，返滬從事反袁活動。 八月　二次革命失敗。	二月十五日　讀音統一會正式開會，到會四十四人，選吳爲議長，王照爲副議長。 三月　完成審音工作，計審定六千五百餘字的國音。 四月　核定音素，商定字母，決議採用審字音時暫用的記音字母，定名爲「注音字母」。

		九月五日　吳與蔡元培同輪赴歐，蔡居法，吳居倫敦。	五月十三日　議決「國音推行方法七條」。 五月二十二日　閉會。 十二月　王樸編「國音檢字」出版。
民國三年（一九一四）	五十　歲	由英赴法參觀，又返英。 第二次世界大戰爆發。	
民國四年（一九一五）	五十一歲	五月　袁承認二十一條。蔡元培與吳、李發起組織「勤學會」。 夏、與李煜瀛發起「勤工儉學」，主張以工資學。	十一月　王樸等創立「注音字母傳習所」。又附設注音書報社，印「注音字母報」，定期發行。另編印注音百家姓，千字文等。
民國五年（一九一六）	五十二歲	春，吳返上海，與鈕永建合辦中華新報，吳主筆政，並發表「朏盦客座談話」。	十月　「國語研究會」在北京成立，次年舉蔡元培爲會長，張一麐爲副會長。
民國六年（一九一七）	五十三歲	一月　蔡自法返國，任北大校長，聘吳任北大學監，吳未就。 吳受教育總長范源濂之託，在上海	全國教育聯合會在浙江開會，議決「請教育部速定國語標準，並設法將注音字母推行各省區，以

	民國七年（一九一八）
	五十四歲
利用報社閒暇，把讀音統一會所審訂之國音彙編，依康熙字典部首之排列編製字典，共收一萬三千餘字。交商務出版。	一月　吳致錢玄同書，論注音字母問題。同月吳應聘至天津唐山路礦學校任國文教員。 本年新青年登載吳氏有關注音字母之文如下： 注音字母—4卷3號（7、3、15） 致錢玄同先生論注音字母書—4卷5號（7、5、15）。 補救中國文字之方法若何—5卷5
為將來小學國文科改國語科之預備。」 胡適在新青年發表「文學改良芻議」，陳獨秀響應之。 自新青年提倡「文學革命」後，白話文運動呈蓬勃之勢。國語研究會並在新青年三卷一號大登廣告。	四月十五日出版之新青年四卷四號發表「建設的文學革命論」，正式標學「國語的文學，文學的國語」，此後「文學革命」與「國語統一」遂呈雙潮合一之觀。 本年之新青年，首先採用新式標點，並有多篇文字改革文章，提倡世界語之文字亦多。 教育部召集全國高等師範校長會

年份	年齡	吳稚暉事蹟	國語運動
		號（7、11、15）。吳應各學校、社團邀請演講並指導，國語運動之推展，已逐漸遠達海外。	議，議決高師附設國語講習科，專教注音字母及國語。國語研究會員增至一千五百人，請願教育部公布字母，終於在十一月三日公布注音字母表。
民國八年（一九一九）	五十五歲	五月　五四運動發生，蔡元培辭職，九日至唐山訪吳，北大學生推羅家倫為代表，至唐山欲挽留蔡，蔡已他去，羅首次晤吳。勤工儉學生已於五月、十月赴法。吳仍在唐山教書，與李煜瀛發起組織留法勤工儉學會。吳撰苦學專論，寄上海勞動雜誌發表。	三月　教育部成立「國語統一籌備會」，主持推展國語行政之工作。張一麐任會長，袁希濤、吳敬恒任副會長。頒行新式標點符號。 四月　教育部公布注音字母音類次序。 五月二十日　汪怡等提案增加「ㄜ」母，二十二日獲通過，至十一年，ㄜ母寫作ㄜ母。 九月　國音字典（國語統一籌備會編）商務印書館初印本出版。

			國語研究會員增加至九千八百餘人，會長蔡元培。 本年「新青年」中有許多討論世界語問題及拼音文字問題。
民國九年（一九二〇）	五十六歲	一月　北京中法大學成立，李石曾任董事長，蔡任董事兼校長，吳任董事。 二月　經滬至廣州，爲海外大學事訪岑春煊、伍廷芳、陳炯明等軍政要人。 四月　辭唐山教職，赴法查看校址，旋赴倫敦家中小住，回國後仍致力於注音字母之審定與宣揚。 十一月　吳在江蘇第二師範演講：「國音問題與國語的文字問題」。又於廿八日時事新報之學燈發表「國音問題」專論。	一月　教育部訓令全國各國民學校先將一、二年級國文改語體文，修正國民學校令及施行細則，將「國文」改爲「國語」。 五月　國語統一籌備會舉行臨時大會，決議增添「ㄜ」音，注音字母成爲四十個。 八月　第六屆全國教育聯合會在上海開會，議決「請教育部廣徵各方面意見，定北京音爲國音標準」。 十一月　統一會在上海和「京音派」商討，不成。

		年底，吳因留法勤工儉學及國語統一運動事抵廣州，下榻廣東教育委員會。次年初，在廣東高師講解注音字母和國音統一運動經過，每週講兩次，每次兩小時，共四週。	張士一著「國語統一問題」，主以北京音爲標準音，引起「京國問題」之爭。 六月　國語統一籌備會訂正「校改國音字典」出版。
民國十年（一九二一）	五十七歲	五月　中山先生在粵就任非常大總統，吳偕李石曾同至廣州謁　中山先生，並進行籌備里大事。 六月　中法雙方簽訂協議合同，由中法人士組中法大學協會，以爲管理機構。蔡元培任華方會長，吳任校長。 七月底　吳率學生百餘人赴法。 九月　抵法後以勤工儉學生鬧事被法警拘捕，吳向法交涉未成，遂離法赴英。 吳氏在新青年上刊登文章。	八月　陸費逵發表「整理漢字的意見」主張用簡體字。 秋，黎錦熙等設中華民國國語研究會支部於上海，陸費逵辦國語專修學校於上海。 各省區統一國語籌備會成立。

		六月一日　與羅國杰、施貝三等人於9卷2號從事「注音字母底討論」。七月一日　於9卷3號之「答ㄍ君廣韻注音字母的格問」。	
民國十一年（一九二二）	五十八歲	四月　吳爲與學生共甘苦，再回法任校長，爲劉復（半農）著四聲實驗錄撰序，認四聲已無重大價值，應送博物館收藏，遂因此開罪劉氏。十二月　以學生爭待遇，鬧學潮事，毅然辭校長職。吳原藏上海之硃卷詩稿及日記，均遭回祿。	四月廿九日　教育部公布「注音字母書法體式」，並加了ㄜ母。五月十日　教育部公布增訂注音字母四聲點法。十一月二日　教育部諮各省區爲檢定小學教員加試注音字母、國語文、國語文法三項，自十三年起實行。國語研究會編「國語月刊」在上海出版。
民國十二年（一九二三）	五十九歲	自英國返北京，見國內科學、玄學論戰正酣，遂在太平洋雜誌撰寫「一個新信仰的宇宙及人生觀」，衆	六月　國語月刊「漢字改革號」出版，中有錢玄同之「漢字改革」「減省現行漢字的筆劃案」、趙

		紛爭乃息。晤胡適於上海。復與鄒魯同赴廣州，贊襄　中山先生國事（籌備一全代會）。	元任之「國語羅馬字研究」、黎錦熙「漢字革命運動前進的一條大路」。 八月廿九日　國語統一籌備會組織「國語羅馬字拼音研究委員會」。錢玄同、黎錦熙等十一人為委員。 教育部國語統一籌備會在第五次大會中，產生了「國音字典增修委員會」，又通過小學國語增「國音字音熟練」一條。 黎錦熙草成「京音入聲字譜」，欲廢止入聲。
民國十三年（一九二四）	六十　歲	一月　在廣州出席國民黨第一次代表大會，爲中央監察委員。東方雜誌（21卷2號）載吳氏所撰「二百兆平民大問題最輕便的解決法」。	十二月廿一日　統一會曾開談話會，以吳爲主席，專討論國音字典增修問題，決定以漂亮的北京語音爲標準，但也宜酌古準今，

		二月　返滬，商務印書館創立上海國語師範學校，吳爲董事兼校長。兼教國語概論，每星期四公開演講一次，校外聽者甚衆。暑假中並舉行夏季國語運動。 四月　語聲創刊，吳作「語聲祝詞」賀之。 七月　爲方毅作「國音沿革序」。 十二月廿一日　吳在教育部主持召開國語統一籌備會，決定以北京話爲標準。	多來幾個「又讀」。
民國十四年（一九二五）	六十一歲	中山先生以肝病住院，指定吳等五人成立北京政治委員會，　國父遺囑係由稚暉起草，再三修改。中山先生逝世，吳爲之執紼。在北京設立海外預備學校，教育黨國元老之子女。	一月十六日　教育部諮各省據國語統一籌備委員會函陳試用注音字母爲國語拼音文字，及明定教育行政機關添設國語循環指導。 六月十四日　「國語週刊」創刊號在北京出版（附京報），於十

年代	年齡	吳稚暉事蹟	國語運動
		十一月　參加西山會議之預備會議，以戴傳賢受毆事，退出西山會議。 作「草鞋與皮鞋」之演講。	二月廿七日停刊。（吳擔任撰述） 七月　章士釗所辦之「甲寅週刊」創刊。 九月廿日　劉復發起「數人會」於趙元任家中，到者錢玄同、黎錦熙、汪怡，開始商討國語羅馬字諸問題。 十一月十日　教育總長章士釗辭職。 十一月　全國國語運動大會在上海成立。
民國十五年 （一九二六）	六十二歲	一月　國民黨二次全國代表大會召開於廣州，吳當選中央監察委員。 四月　奉軍進佔北京，吳解散海外預備學校，出京至廣州復校。 七月九日　誓師北伐，吳授旗並致訓詞，吳率學生至滬，續授課。並	一月　全國國語運動大會在北京舉行。 九月一日　全國國語教育促進會在上海開成立會。 十一月十日　教育部公布國語統一籌備委員會訂定之國音羅馬字

		與鈕永建負責在滬策動敵後活動。	拼音法式。 國音字典增修委員會，自三月至十月開會，稿本十二大册完成，擬修成三書，①增修國音字典②國語同音字典③國音常用字彙。
民國十六年（一九二七）	六十三歲	四月　提出檢舉共黨叛國案，造成清黨。 五月　解散海外預備學校。 七月　吳數函警告汪精衞，論黨國存亡關係。 八月　蔣總司令引退。成立中央特委會，吳爲三方共推之委員。	二月　新生週刊有「國語羅馬字運動特刊」，1卷8期中有錢玄同的「歷史的漢字改革論」，蕭家霖的「國語羅馬字與漢字」。 全國國語教育促進會在上海籌辦國語第一師範學校開課。
民國十七年（一九二八）	六十四歲	七月　教育部成立國語統一籌備會，由部聘委員七人，另聘先生爲主席，準備重修「校改國音字典」改爲「國音常用字彙」。 八月　在南京出席五中全會通過制	二月　黎錦熙著「國語羅馬字國語模範讀本」首册出版。 七月十一日　大學院派員接收平津文教機關，包括國語統一籌備委員會。（此時北京已由國民政

		定訓政時期約法，被推爲中央政治委員，十月監誓五院院長就職。	府控制） 九月廿六日　大學院公布「國語羅馬字拼音法式」。 十二月十二日　教育部公布國語統一籌備委員會組織法十一條。 十二月十八日　國語統一籌備委員會開辦之國音字母講習所開學授課，學生共64人。
民國十八年（一九二九）	六十五歲	五月一日　在江蘇省教育廳講演「注音符號之推行」。 五月　赴北平約集國語統一籌備會在華北委員談話。 八月六日　成立北平研究院，吳被推爲學術會議主席，兼任史學研究會常務委員。	八月　「國語句刊」第一期在北京出版。 九月　趙元任編「國語羅馬字與威妥瑪式拼法對照表」在北京出版。四日，國語羅馬字週刊第一期出版，至52期停刊（附北平日報）。 十月　中央訓練部教育部會同審查全民識字法案暨草擬民衆識字

			施行法。並決定由教育部編三民主義千字課，各省亦紛展開識字宣傳。黎錦熙訂定「中國大辭典編纂處計劃書」。
民國十九年（一九三〇）	六十六歲	一月　赴北平召開國語統一籌備會第一次年會，建議注音字母改爲「注音符號」，共商積極推行方法。 一月十二日　在北平召開國統籌委會第一屆年會，吳主席決定此一委員會之任務特點四項㈠統一㈡立法㈢審查㈣文獻。 四月十五日　赴北平參加第二次全國教育會議，並演講「怎樣應用注音符號」，大會決議通過推行辦法三項呈請政府核定頒布（由吳所擬） 四月十五日　第二次全國教育會議	一月廿五日　教育部通令禁止小學，勿再採用文言教科書，應遵照部頒小學國語課程暫行標準切實試行，並飭各師範學校積極厲行國語教育養成師資。 二月　劉復與李家瑞編「宋元以來俗字譜」出版。此書爲簡體字運動中重要著作。 三月十日　教育部通令各省市轉飭所屬中、小學教員一律用國語爲教授用語，以利國語推行。 四月廿一日　國民黨中央第88次

		於南京舉行，吳提議「擬請教育部於最短期內積極提倡注音識字運動案」並擬辦法四項。 四月廿九日　國民政府訓令行政院及直轄各機關飭屬一體採用注音符號，由教育部編成傳習小册分發。 五月一日　在江蘇省教育廳講「注音符號之意義」。	中常會議決改注音字母名稱為「注音符號」並決定推行辦法三項（黨部、政府人員、教育人員傳習），國羅隨稱譯音符號。 五月八日　教育部派趙元任、郭有守等為推行注音符號籌備委員設立「推行注音符號籌備委員會」。 六月　教育部編成注音符號傳習小册。 七月三日　國語羅馬字促進會在北京成立。 七月廿三日　教育部制定各省市縣推行注音符號辦法25項，咨行各屬遵照辦理。
民國二十年（一九三一）	六十七歲	五月五日　至南京出席國民會議，為主席團。 九月八日　去信教育部長，請教育	二月　教育部令蒙藏各旂宗派員學習注音符號。 三月廿六日　北平市教育局成立

		部轉各機關書報業，將簡易的國音字母表附印入各種印刷品中。 十一月十二日　第四屆全代會召開，吳爲中央監察委員。 商務印書館35年紀念，吳應邀撰寫「三十五年來之音符運動」九月出版。	注音符號推行委員會。 六月　陳光垚簡字論集出版。 九月廿六日　「中國新文字第一次代表大會」在海參威擧行，通過了「中國漢字拉丁化的原則和規則」，起草人吳玉章、林伯渠。龍果夫協助起草。 九月　國語週刊第一期在北京出版（附世界日報）至26年7月停刊。商務印書館35年紀念，出版「三十五年來之國語運動」。
民國二十一年（一九三二）	六十八歲	一月廿八日　日軍侵入淞滬。 三月一日　至洛陽出席二中全會。 五月　建設委員會聘其爲常駐委員。 十二月一日　國民政府遷回南京，十五日出席三中全會。	五月七日　教育部公布「國音常用字彙」一書，此書以「注音符號」及「國語羅馬字」兩式國音字母記音，並分標聲調，悉以北平音系爲標準。 六月四日　國語羅馬字促進會編

			G、*R*週刊（純用國語羅馬字）出版。
民國二十二年（一九三三）	六十九歲	九月 出席廬山會議。 十一月 福建事變，吳分電請加討伐。	三月 教育部據全國國語教育促進會繕呈協助推行國語案，通令各省市遵行。 八月 蕭三著，焦風譯「中國語書法之拉丁化」在上海出版，開始將「拉丁化新文字方案」介紹入國內。 十月 陳光垚著「簡字論集續集」出版。
民國二十三年（一九三四）	七十 歲	一月廿日 赴京出席四中全會。 四月 出席上海世界社舉行世界文化合作中國協會，會所奠基典禮。 五月廿四日 上海時事新報載吳稚暉、錢玄同、胡適、周作人、陳光垚在平發起「漢字改革會」，經陳	一月七日 國語統一籌備委員會在北京開第29次常務委員會，錢玄同委員所提搜採固有而較適用的簡體字」案，議決通過，由錢玄同委員搜採編印，再組織委員會選定。

於六月廿四日之國語週刊142期$p2$中否認其他人之發起。
七月　廬山軍官訓練團開學，吳應邀演講。

一月廿五日　上海全國國民教育促進會呈請教育部謂「民衆教育應積極推行注音符號」，教育部頒行四項辦法，令各省市教育機關及國立圖書館遵照。
六月　魯迅、陳望道等所推動的「大衆語運動」開始在上海展開，對文言復活運動激烈反攻。
九月廿二日　黎錦熙發表「大衆語文的工具——簡體字」。廿六日國語羅馬字促進會在鄭州舉行第一次全國代表大會。
十一月　國語統一籌備委員會開第39次常務會議，議決通過「注音漢字銅模應由國家鑄造推行案」並呈請教育部核辦。
十二月　黎錦熙著「國語運動史

			綱」出版。 國語統一籌備委員會著手編輯簡體字譜。 教育部攝製注音符號傳習影片，趙元任灌製注音符號留聲片。
民國二十四年（一九三五）	七十一歲	八月　教育部令改國語統一籌備委員會為國語推行委員會，仍聘吳氏為主任委員。 十一月十二日至廿三日　出席五全大會，被選為中央監察委員。 十二月十二日　出席五屆一中全會，任主席致開幕詞。	一月　教育部接受去年十一月之建議，決定撥款委託商家鑄造銅模。 三月五日　教育部將鑄造銅模案提行政院院會，通過後與中華書局訂立合同，先鑄三號，依次再鑄五號、二號、四號。 三月至六月　籌備委員會共選定六千七百八十八字鑄造銅模之字表。 八月廿一日　教育部公布「簡體字表」第一批，共三百廿四字，

			廿四日製定簡體字推行辦法九條，通令各省教育廳局遵照。 九月三日　教育部頒發促進注音漢字推行辦法。
民國二十五年（一九三六）	七十二歲	七月十日　出席五屆二中全會，十八日，列席中央常務委員會。 十二月十二日　西安事變發生，吳赴京出席中央常務會議及政治會議臨時緊急會議，廿六日　蔣委員長安返南京，吳迎之。	九月廿八日　教育部核定採行國語推行委員會第十次常會議決案五款，其第一、二款爲督促小學及民衆學校教師並師範生加緊研習注音符號。第三款爲考核注音漢字之教學成績。第四、五兩款爲規定注音教學之主旨及方法。 中共積極在華中、華南推動「拉丁新文字」，並出版刊物，如上海之「中國語言」月刊。廣州、漢口之「新文字月刊」。
民國二十六年（一九三七）	七十三歲	六月三日　中央常會從吳之意見，通過以黨歌爲國歌。	十月　國民政府公布「國音分韻常用字表」一冊。

		七月七日　蘆溝橋事變發生，抗戰爆發，吳至京參加國防會議，返滬，遷居呂班路四十號三樓，顏之曰「寄舲」。 十月卅一日　國民政府宣告遷都重慶，吳於十一月由滬經京抵重慶。	十一月十五日　教育部頒布「教育部國語師資訓練班結業學員服務暫行辦法」及「通訊辦法」。
民國二十七年（一九三八）	七十四歲	三月　赴漢口參加中國國民黨臨時全國代表大會暨四中全會，推戴　蔣中正爲國民黨總裁。	四月　國語推行委員會會務停頓，把研究工作分交國立西北聯合大學的中國語文學會及社會教育推行委員會辦理，承辦教育部交辦有關國語圖書的審查事宜。 上海等地陸續有新文字研究活動。
民國二十八年（一九三九）	七十五歲	九月　患高血壓，小便頻數，心臟亦不正常，服藥後漸趨正常。 十二月　代表中央監誓　蔣中正任行政院長，孔祥熙任副院長。 蔣經國自俄返國，晤吳氏。	七月　以廣西參議會反對簡體字，教育部於八月廿一日咨文行各省市暫緩施用並查禁怪異文字。

民國二十九年（一九四〇）	七十六歲	七月　參加五屆七中全會。 教育部學術審議會成立，吳被聘爲常務委員。行政院決議聘吳爲北平故宮博物院理事。	六月　教育部爲普及國語教育加緊掃除文盲，決定恢復國語推行委員會的工作，並擴大會內組織。正式訓令恢復國語推行委員會，並發表委員名單。 七月廿六日　國推會舉行委員全會，議定編訂審音正韻民國一代之官書。 九月　國推會舉行第二次常務會議的時候，通過了「國語講習課程綱要」簽呈教育部。教部完全採納，於十一月二日公布，更於十二月廿八日以訓令飭各省市，國民教育師資訓練班跟其他短期師資訓練班一律加入國語課程，學員不能熟習注音符號的，不准畢業。

			王玉川在萬縣榮譽軍人教養院，以榮軍文盲爲對象之語文教學實驗，成績優異。 教育部國語推行委員會組織民衆小報社編刊「民衆小報」。
民國三十年（一九四一）	七十七歲	三月廿四日　參加國民黨五屆八中全會。 四月一日　向大會提⑴請大量印發注音漢字通俗書報之刊物，以供學成注音符號之民衆閱讀，發揮宣傳及訓練之功效案。⑵積極推行注音識字運動期於五年內普及注音識字，徹底掃除文盲以宣揚三民主義促進抗戰必勝建國必成案。此兩案均獲大會一致通過。 十月廿八日　攝護腺腫大，病危，延醫治療，後靜臥數日，尿道復通。	一月四日　教育部訓令四川等八省市教育廳局，各中小學教師服務團，各社會教育工作團，保送督導督察，中等學校國文教員及團員，集中訓練，前後舉辦兩期。原於抗戰後方，國語師資缺乏，期以集訓後，分返各地推動地方之國語師資的訓練。 二月　國推會舉辦國語師資訓練班，各省選派現任中學以上之國語教員到部受訓。第一期於本年二月初開學，四月初旬結業，結

		國民政府公布之「中華新韻」，此書爲吳所審定。 吳氏創作注音符號歌，四個符號一句，用聯想法使其方便記憶，用心良苦。	業學員29人。第二期五月初旬至七月初旬，37人結業。 十月二日　中華新韻全書印竣，由教育部布告公布，十月十日國民政府公布。並在四川出版，用注音字母註明韻值。 教育部授命國推會設計監製注音漢字銅模，完成五號和新四號各一。
民國三十一年（一九四二）	七十八歲	三月　教育部學辦社會教育運動週，吳應邀播講：「國語教育——注重注音符號。」	六月一日　中央九部會合組「中央推行注音識字運動委員會」，在渝學行第一次會議。十月廿日行政院准予備案。 國語千字報社刊行八開日報，爲小學教師和初中高中學生之讀物。
民國三十二年（一九四三）	七十九歲	八月　國民政府主席林森逝世，外傳吳將繼任主席，吳爲文否認之。	三月　國推會學行全國方音注音符號修訂會議，議決通過「中國

		推 蔣總裁繼之。 春，吳與黎錦熙、徐炳昶等三十餘人在重慶發起組織「中國語言文字學會」，會員八十餘人。	語音分析符號總表」及「方音注音符號」兩種。 教育部國語推行委員會推黎錦熙等製定國字新部首。 民國卅年以後，邊疆語文教育，甚被重視，各方向教育部探詢方音符號的很多，教育部國推會的專門委員會，隨於卅二年春，開會研討，議定「析音符號」一套，呈教部備用。 王炬研究創造發明注音國字銅模簡潔鑄造法，教育部所造之五號、四號兩套銅模，即用此法造成。
民國三十三年（一九四四）	八十歲	三月廿日 適逢國語運動週，吳發表「注音符號作用之辯正」，指出一般人只注意注音符號之副作用──借充簡字，便利文盲，却未曾注意	三月廿三日 教育部國語推行委員會與中央推行注音識字運動委員會舉行聯席會議，除議決推行注音識字計劃綱要外，並議決指

其正作用|助漢文嚴立一個標準音。他認爲「讀音統一」是注音符號最大任務。

定數地辦國語專修科。三月 教育部訂定辦法，令行各省市舉行國語運動週。教育部國語推行委員會召開常年大會。同時舉行專門委員會擬製「析音符號」。中國語言文字學會適舉行成立大會，會中多數人主張設置培養國語師資機構。於是由國推會以紀念領導國語運動卅餘年的黨國元老吳敬恒度八十壽辰爲由，呈請教育部設置國語專修科。教育部於五月令西北師範學院（蘭州），女子師範學院（四川白沙），社會教育學院（四川壁山）都添設國語專修科。之後教育部隨即公布國語專修科目表。

民國三十四年（一九四五）	八十一歲	五月　出席國民黨六全代會及六屆一中全會，任主席團之一，大會推舉　蔣公中正連任總裁。吳氏亦被選連任中央監察委員會常務委員。	六月九日　教育部公布國語推行委員會組織條例九條。 十月四日　教育部修正公布各省市縣推行注音符號辦法二十條。
民國三十五年（一九四六）	八十二歲	四月　由渝返滬，晤家人。 五月三日　赴南京，五日參加國民政府還都典禮。 十二月廿五日　國民大會通過憲法，吳代表國民大會將憲法逕授　蔣主席中正。	
民國三十六年（一九四七）	八十三歲	十一月　當選第一屆國民大會代表。	
民國三十七年（一九四八）	八十四歲	五月廿日　蔣中正宣誓就任行憲後首任總統職，吳監誓，並致祝詞。蔣總統聘吳爲總統府資政。 十一月　於滬寓所突患暈眩症，狀似中風，調養後大致痊癒。	教育部以江浙一帶國語程度低落，於本年秋天由教育部長朱家驊手諭部中中等司會同國推委會舉辦國語教育講習會，並會江蘇、浙江、南京、上海四省市教育廳局

			選送廳局之督學、督導及師範、小學之教員集京講習。
民國三十八年（一九四九）	八十五歲	一月　蔣總統引退。吳決立志殉國，焚燬部份函件，陳凌海帶走五箱，餘未及携離大陸。 二月廿四日　乘總統專機自滬抵臺北，夫人及公子仍留滬。 三月　吳始作說文象形字圖片。 三月十二日　國語日報成立董事會，傅斯年任董事長，吳特函道賀。	十二月廿二日　教育部長杭立武趁至臺灣之便，在臺北假國語會主委吳敬恒寓所，召集國語會在臺委員舉行臨時談話會，研究在臺之工作重心。
民國三十九年（一九五〇）	八十六歲	三月一日　蔣總統復行視事。	
民國四十年（一九五一）	八十七歲		教育部設置國語教育輔導會議，研討改進輔導全國國語教育事宜無形中代替了國語推行委員會。
民國四十一年（一九五二）	八十八歲	七月　攝護腺腫大症復發，延醫治療，至十月小便始通。	

民國四十二年（一九五三）	八十九歲	六月廿二日　袁氏夫人逝於上海。十月卅日　下午十一時廿八分，逝於臺大醫院。	

說明：本表之資料，係參考：民國吳稚暉先生敬恒年譜（楊愷齡編）吳稚暉先生年譜簡編（陳凌海編）國語運動史綱（黎錦熙）、中國近七十年來教育記事（丁致聘）、教育資料集刊第一輯（教育資料館編）、國語運動的理論與實際（王炬編著）、第一、二次中國教育年鑑、中國文字改革運動年表（杜子勁）

參考書目

壹　中文資料

一　史料與專著

1. 方毅，國音沿革，臺灣商務印書館，六二年十二月台一版。
2. 方師鐸，五十年來中國國語運動史，台北，國語日報出版社，五十八年十二月第二版。
3. 王炬，國語運動的理論與實際，台灣省國語推行委員會，四十年五月。
4. 王照，小航文存，文海出版社。
5. 王樹槐，中國現代化的區域研究—江蘇省（一八六〇—一九一六），台北，中央研究院近代史研究所，七十三年六月初版。
6. 中國國民黨中央委員會黨史史料編纂委員會（以下簡稱「中央黨史會」）編印，吳稚暉先生百年誕辰紀念專輯，台北，中央黨史會出版，五十三年四月。
7. 中央黨史會編，吳稚暉先生墨蹟，台北，中央黨史會，五十三年三月二十五日出版。
8. 中央黨史會編，李石曾先生文集，台北，中央黨史會，六十九年五月二十九日出版。

9. 中央黨史會編訂，國父全集，台北，中央黨史會，七十年八月一日再版。
10. 中央黨史會編，吳稚暉先生選集，台北，中央黨史會，五十三年三月二十五日出版。
11. 中國大辭典編纂處編，國音字典，台灣商務印書館，三十八年八月初版，四十八年三月台一版。
12. 中華民國大學誌—丁惟汾先生八秩榮慶祝賀論文集，中國新聞出版公司，四十二年九月一日出版。
13. 多賀秋五郎，近代中國教育史料（一—五），東京，日本學術振興會，昭和五十一年出版。（內容係中國史料）。
14. 伍家青輯述，吳稚暉先生軼事，台北，芬芳寶島雜誌社，六十六年五月一日出版。
15. 汪學文，共匪文字改革總批判，台北，中華民國國際關係研究所，六十三年七月初版。
16. 杜維運，史學方法論，台北，華世出版社，六十八年二月初版，六十八年十月再版。
17. 沈松僑，學衡派與五四時期的反新文化運動，台北，台灣大學出版委員會，七十三年六月初版。
18. 呂芳上，吳敬恒，收於王壽南主編，中國歷代思想家，册四九，台灣商務印書館，六十八年三月二版。
19. 李中昊，文字歷史觀與革命論，北平，文化學社，二十五年五月初版。中央圖書館台灣分館藏書。
20. 李定一、包遵彭、吳相湘合編，中國近代史論叢（二十册），台北，正中書局，六十四年十一月台四版。
21. 李定一，中國近代史，台灣中華書局，六十五年十二月台十九版。
22. 李瞻、石麗東合著，林樂知與萬國公報，台北市新聞記者公會，六十六年九月初版。
23. 吳相湘，民國百人傳，四之一，傳記文學出版社，六十八年元月十五日再版。
24. James D Forman 原著，吳連明譯，近代主義透視，台北，龍田出版社，七十年十一月再版。
25. 吳敬恒，吳敬恒選集，台北，文星書店，五十六年十月二十五日出版。
26. 吳稚暉先生全集編纂會主編，吳稚暉先生全集（十八卷），台北，中央黨史會，五十八年三月廿五日出版。
27. 祁致賢，國語教育，台灣省國語推行委員會，五十年出版。
28. 邵鳴九，國音沿革六講，台灣商務印書館，六十二年八月台一版。
29. 周法高，中國語文研究，台北，華岡出版部，六十二年十月初版。
30. 周陽山、楊肅獻，近代中國思想人物論，李國祁等著，民族主義，台北，時報文化出版公司，七十一年九月十五日三版。

31. 周策縱著，楊默夫編譯，五四運動史，台北，龍田出版社，六十九年五月初版。
32. 紀果庵編著，晚清及民國人物瑣談，台灣學生書局，六十一年十一月初版。
33. 胡適主編，中國新文藝大系，文藝論戰一集，台北，大漢出版社，六十九年一月出版。
34. 胡適主編，中國新文藝大系，文藝論戰二集，台北，大漢出版社，六十六年五月三十一日出版。
35. 梁啓超，中國近三百年學術史，台北，華正書局，六十三年十月台一版。
36. 郭廷以，中華民國史事日誌，三之二，台北，中央研究院近代史研究所，七十三年四月初版。
37. 郭湛波，近代中國思想史，香港，龍門書店，一九七三年三月初版。
38. 張文伯，吳敬恒先生傳記，台北，中央黨史會，五十三年三月二十五日出版。
39. 張文伯，吳稚暉先生傳記，台北，文星書店，五十四年一月二十五日初版。
40. 張世祿，中國音韻學史（下），台灣商務印書館，五十九年十月出版。
41. 張玉法，清季的革命團體，台北，中央研究院近代史研究所（以下簡稱「中研院近史所」），七十一年八月再版。
42. 張玉法，中國近代史，台灣東華書局，七十二年八月六版。
43. 張玉法主編，中國現代史論集，十之六，台北，聯經出版公司，七十年十二月初版。
44. 張金鑑，動態政治學，台北，七友出版傳播事業股份有限公司，六十六年九月初版。

45. 張星烺，歐化東漸史，台北，地平線出版社，六十三年五月台一版。
46. 張素貞，毀家憂國一奇人—張人傑傳，台北，近代中國出版社，七十年五月二十五日初版。
47. 張博宇編，台灣地區國語運動史料，台灣商務印書館，六十三年十一月初版。
48. 章炳麟，民國章太炎先生炳麟自訂年譜，台灣商務印書館，六十九年七月初版。
49. 民國陳思等修，繆荃孫等纂，江陰縣續志㈠，台北，成文出版社據民國九年刊本影印，五十九年五月台一版。
50. 陳凌海編印，陳洪校訂，吳稚暉先生年譜，台北，六十年四月初版。
51. 陳訓正、馬瀛纂修，定海縣志㈡，台北，成文出版社據民國十三年鉛印本影印，五十九年十一月台一版。
52. 陳懋治，統一國語問題，收入梁啓超等撰，晚清五十年來之中國，十一年上海初版，香港、龍門書店，六十八年九月出版。
53. 符顯仁，中國文字面面觀，台北，莊嚴出版社，七十年元月初版。
54. 教育部教育年鑑編纂委員會編，第一次中國教育年鑑，台北，傳記文學出版社，六十年十月影印出版。
55. 教育部教育年鑑編纂委員會編，第二次中國教育年鑑，上海，商務印書館，三十七年出版。
56. 舒新城輯，近代中國教育史料，十七年上海出版，文海出版社重印。

57. 勞乃宣，桐鄉勞先生遺稿，文海出版社出版。
58. 馮自由，革命逸史，五之三，台灣商務印書館，六十七年二月台三版。
59. 楊愷齡編，民國吳稚暉先生敬恒年譜，台灣商務印書館，七十年四月初版。
60. 楊愷齡撰，民國李石曾先生煜瀛年譜，台灣商務印書館，六十九年五月初版。
61. 臺灣省國語推行委員會編，國語教育法令彙編，台北，國語日報社，七十一年十月十日出版。
62. 臺灣省國語推行委員會編，吳稚暉先生的生平，編者自印，四十年四月出版。
63. 趙淑敏，吳稚暉傳，台北，近代中國出版社，六十九年六月二十五日初版。
64. 黎錦熙，國語運動史綱，上海，商務印書館，二十三年初版。孫逸仙圖書館藏。
65. 黎錦熙，錢玄同先生手傳與手札合刊，台北，傳記文學出版社，六十一年出版。
66. 蔡冠洛編，清代七百名人傳，文海出版社出版。
67. 劉紹唐主編，文史新刊之一五〇，吳稚暉著，吳稚暉書信選，台北，傳記文學出版社，五十九年十二月一日初版。
68. 劉紹唐主編，民國人物小傳㈠，台北，傳記文學出版社，六十四年六月一日出版。
69. 劉紹唐主編，民國人物小傳㈢，台北，傳記文學出版社，六十九年十一月一日初版。
70. 劉獻廷，廣陽雜記，台灣商務印書館，六十五年四月初版。
71. 繆荃孫纂錄，續碑傳集，文海出版社出版。

72. 謝雲飛，中國聲韻學大綱，台北，蘭台書局，七十二年八月三版。
73. 鍾露昇，國語語音學，台北　，語文出版社，六十八年四月十版。
74. 韓文蔚，世界語概要，台北，救國團贊助出版，四十九年五月初版。
75. 羅常培，國音字母演進史，上海，商務印書館，二十三年九月初版。中研院史語所藏。

二　期刊論文

1. 大方，「注音通俗報紙之回顧與前瞻」，收於方師鐸，五十年來國語運動史，附錄三。
2. 王爾敏，「中國近代知識普及化之自覺與國語運動」，中研院近史所集刊第十一期，七十一年九月。
3. 心怡，「官話字母與合聲簡字」，國語週刊三十九期，二十一年六月十八日。
4. 尹耕，「龔定盦國語統一論」，國語週刊三十九期，二十一年六月十八日。
5. 方師鐸，「記劉半農先生」，傳記文學三卷三期，五十二年九月。
6. 白滌洲，「介紹國語運動急先鋒—盧戇章」，國語週刊第十期，二十年十一月七日。
7. 白滌洲，「從反切到拼音」，國語週刊五十七、八期，二十一年十月二十二日、二十九日。
8. 史穎君，「我國國語運動之研究」，政大教育研究所碩士論文，七十三年一月。
9. 安嘉芳，「新世紀的始末及其言論分析」，文化大學史研究所碩士論文，六十六年七月。

10. 我一，「臨時教育會議日記」，教育雜誌四卷六號，特別記事欄，七年六月二十日。
11. 杜子勁，「中國新文字問題」收入李中昊編，文字歷史觀與革命論。
12. 李書華，「吳稚暉先生從維新派成爲革命黨的經過」，傳記文學四卷三期，五十三年三月。
13. 吳少芬，「吳稚暉的教育思想」，政大教育研究所碩士論文，七十一年六月。
14. 吳敬恒，「論注音字母書」，教育雜誌十一卷三號，民國八年三月二十日。
15. 吳稚暉，「吳稚暉述上海蘇報案記事」，收於馮自由，革命逸史第三集。
16. 吳稚暉，「補救中國文字之方法若何」，新青年五卷五號，七年十一月十五日。
17. 吳稚暉，「書駁中國用萬國新語說後」，新世紀第五十七號，一九〇八年七月二十五日。
18. 吳稚暉，「闢謬」，新世紀一百一十九號，一九一〇年三月十二日。
19. 吳稚暉，「新語問題之雜答」，新世紀第四十四號，一九〇八年四月二十五日。
20. 前行君撰，燃附註，「編造中國新語凡例」，新世紀第四十號，一九〇八年三月二十八日。
21. 吳稚暉，「致國語週刊記者—友喪」，收入論戰二集。
22. 何仲英，「漢字改革的歷史觀」，收於李中昊編，文字歷史觀與革命論。
23. 邢島，「改革文字之意見書」，東方雜誌九卷七號，民國元年十二月。
24. 邢島，「讀音統一會公定國音字母之概說」，收於李定一等合編之中國近代史論叢第二輯，第八冊。

25. 卓文義，「民初之國語運動」，中國文化大學史學研究所碩士論文，六十二年出版。
26. 柳明奎，「中國國語運動發展史」，師大國文所碩士論文，五十年六月出版。
27. 胡適，「建設的文學革命論」，新青年四卷四號，七年四月十五日。
28. 胡適，「關於江蘇南菁書院的史料」，大陸雜誌十八卷十二期，四十八年六月三十日。
29. 胡適，「追念吳稚暉先生」，傳記文學四卷三期，五十三年三月。
30. 胡學愚，「世界語發達之現勢」，東方雜誌十四卷一號，六年一月十五日。
31. 俞勗成，「吳稚暉先生言行散記」，中國一周一九七期，四十三年二月一日。
32. 洪德先，「辛亥革命前的世界社及無政府主義思想」，食貨復刊十二卷二期，七十一年五月十日。
33. 梁容若，「吳稚老談辭壽」，傳記文學四卷四期，五十三年四月。
34. 梁容若，「吳稚暉先生與國語運動」，台北中央日報，三十九年二月二十六日。
35. 凌霜，「世界語問題」，新青年六卷二號，八年二月十五日。
36. 馬裕藻，「小學國語教授法商榷」，東方雜誌九卷九號，二年三月二日。
37. 健攻，「打倒國語運動的攔路虎」，收入胡適主編，文藝論戰二集。
38. 張士一，「張士一先生論標準語」，國語週刊八十六期，二十二年五月二日。
39. 張其昀，「國語之父吳敬恒」，中國一周七二七期，五十三年三月十日。

40. 張朋園,「評勞著清代教育及大衆識字能力」,中研院近史所集刊第九期,六十九年七月。
41. 湯承業,「吳稚暉先生之寒微家世與寒涼身世」,國立編譯館館刊十卷一期,七十年六月。
42. 章太炎,「駁中國用萬國新語說」,民報第廿一號,一九〇八年六月十日。
43. 章太炎,「規新世紀」,民報二十四號,一九〇八年十月十日。
44. 陳立夫,「語言一聲,統一中國」,收於吳稚暉先生倡導國語運動七十周年專集,七十二年九月二十八日。
45. 陳訓慈,「桐鄉勞玉初先生傳」,文瀾學報第一期,二十四年一月。
46. 馮自由,「中國教育會與愛國學社」,收於馮著革命逸史,五之一。
47. 傅斯年,「漢語改用拼音文字的初步談」,新潮一卷三號,八年三月一日。
48. 程滄波,「吳稚暉與南菁書院」,江蘇文獻新十四期,六十四年六月二十日。
49. 程滄波,「吳稚暉先生的文化背景」,東方雜誌復刊八卷九期,六十四年三月。
50. 楊時逢,「追思姑父—趙元任先生」,傳記文學四十卷四期,七十一年四月。
51. 趙椿年(坡鄰老人),「覃研齋師友小記」,中和月刊二卷三期,三十年三月一日。
52. 劉紀曜,「評介林著中國意識的危機」,收於張玉法主編,中國現代史論集,十之六。
53. 黎錦熙,「民二讀音統一大會始末記」,國語週刊一三三期,二十三年四月十四日、二十一日。

54. 黎錦熙，「王照傳」，國語週刊一二九期，二十三年三月十七日。
55. 黎錦熙，「全國國語運動大會宣言」，收入李中昊編，文字歷史觀與革命論。
56. 黎錦熙，「教育部國語統一籌備委員會最近六年紀略」，國語週刊一四三期，二十三年六月二十三日。
57. 盧戇章，「變通推原說」，萬國公報卷七十八。
58. 賴景瑚，「念吳叔微追思稚老和蘅公」，傳記文學三十九卷三期，七十年九月。
59. 錢玄同，「論注音字母」，新青年四卷一號，七年一月五日。
60. 錢玄同，「Esperanto」，新青年四卷二號，七年二月十五日。
61. 錢玄同，「中國今後之文字問題」，新青年四卷四號，七年四月十五日。
62. 錢玄同，「漢字革命」，收入李中昊編，文字歷史觀與革命論。
63. 錢玄同，「高元國音學序」，教育雜誌，十四卷三號，十一年三月二十日。
64. 頤，「爲注音符號敬告中學的國文教員」，國語週刊第三期，二十年九月十九日。
65. 謝康，「吳老頭子稚暉師」，中外雜誌十九卷五期，六十五年五月。
66. 羅常培，「耶穌會士在音韻學上之貢獻」，中研院史語所集刊第一本第三分，六十年一月。
67. 蘇格蘭君，「廢漢文議」，新世紀七十一號，一九〇八年十月十七日。

貳　英文資料

1. Boorman , Howard L. and Howard C. Rechard(ed.) Biographical Dictionary of Republican China. University of Colombia Press, 1967.
2. Gasster , Michael. Chinese Intellectuals and the Revolution of 1911 University of Washington Press , 1969.
3. Scalapino ,Robert A. and Gerorge T. Yu , The Chinese Anarchist Movement. University of California Press, Feb. 1961.
4. Rawski , Evelyn Sakakida. Education and Popular Literacy in Ch'ing China. University of Michigan Press , 1979.